COLLECTION POÉSIE

BLAISE CENDRARS

POÉSIES COMPLÈTES : 1912-1924

Du monde entier

SUIVI DE

Dix-neuf poèmes élastiques
La guerre au Luxembourg
Sonnets dénaturés
Poèmes nègres
Documentaires

PRÉFACE
DE PAUL MORAND

GALLIMARD

Préface

A la veille de la Grande Guerre, il se passait à Paris beaucoup plus de choses qu'on ne le savait, hors de France. Loin de ce petit univers parisien dont les postes de commandement étaient déjà aux mains de Picasso et de Braque, d'Apollinaire et de Max Jacob, l'étranger se doutait-il qu'allait surgir une illustre pléiade, qu'une génération presque spontanée assurerait bientôt au siècle nouveau sa gloire? A peine quelques amateurs en étaient avertis, disséminés sur la planète; le téléphone arabe de l'avant-garde ne fonctionnait pas encore.

A Londres, où j'habitais, le groupe du Vortex était très peu de chose, à côté des artistes de Paris. En Italie, le futurisme se fanait. A Munich, à Dachau, les peintres vivaient en colonie close. Chez nous, on parlait déjà une nouvelle langue; Cendrars travaillant à la Nationale avec Reverdy et Apollinaire, cela eût pu en dire long à qui eût réfléchi. Ce diable de Cendrars, il était partout, à New York, où Marcel Duchamp et Picabia ouvraient des pistes infrayées, nouveaux trappeurs; non moins chez lui à Greenwich Village qu'à Paris.

Cendrars, qui avait déjà tout vu, ne s'y était pas trompé. La poésie des Ponts de Paris chantée par Marie Laurencin,

9

le coup de tonnerre des **Demoiselles d'Avignon**, *toute la cuve de la création poétique, tout le chaudron des sorcières à cheval sur leur pinceau bouillonnaient derrière et avec lui. Giraudoux, qui assurait ma liaison avec Paris, ne me l'avait pas dit ; il fréquentait Toulet, Vaudoyer, Gilbert des Voisins au* Bar de l'Opéra *ou au* Vachette. *Mes nourritures de l'époque étaient les* Stèles de Segalen, Barnabooth *ou* Connaissance de l'Est.

En 1916, Cocteau me fit mesurer mon retard ; je rattrapai le temps perdu, et, dès la générale de Parade *au Châtelet, je pénétrai enfin dans le cercle enchanté de tous ceux qui eussent dû être mes amis depuis dix ans. Cendrars me tendit alors son bras unique.*

La guerre dispersait les uns, réunissait les autres, mettait les bouchées doubles, provoquait des rencontres inouïes ou des séparations déchirantes. Zeppelins et Berthas étaient accueillis comme de nouvelles images par les poètes ; la bonne humeur, la confiance saluaient les premières troupes américaines ; on travaillait dans un climat de camaraderie, de loquacité et d'admiration mutuelle que je n'ai jamais retrouvé depuis. On vit même des écrivains s'aimer !

C'est cette tendresse 1916, cette fraternité 1917, que je garde à Cendrars et à son œuvre. Les Pâques à New York *— je m'en souviens comme si c'était hier — dans la grande édition illustrée que je possède encore (un peu noyée par les lances des pompiers de Londres bombardé), prenaient à la fois le tournant de l'époque et celui de l'infini. Je reçus en pleine figure la* Prose du transsibérien *et le* Panama. *Cendrars avait déjà tout vu, le choléra asiatique, le froid sibérien, l'*Amour *charrieur de charognes, l'éternel printemps des Fiji, les gibets, les aurochs, et les vagabondages dans les soutes, et la prison à Marseille ! Quelle secousse à chaque page et que j'avais honte de mon uniforme admi-*

nistratif et des heures arides de déchiffrement; les vrais décrypteurs de la vie, ce sont les poètes.

Par Conrad Moricand, à Madrid, dans l'Espagne aux frontières fermées par Clemenceau, m'arrivèrent ensuite les premiers saluts de Cendrars à l'art nègre. Qui menaces-tu? demandait-il. Ce qu'il menaçait, le Grand Fétiche? nous ne le savons que trop, aujourd'hui où naît une Afrique bien plus ténébreuse que celle de Conrad...

Après les proses lyriques de 1912, ce qui me charmait dans les Documentaires des années 20, ou dans les très barnaboothiens Menus, c'était ce mélange d'âme et de photographie, ces extérieurs avec un intérieur, tout ce qui donnait du sens et de la profondeur à cet inventaire cumulatif du globe. Cet « intérieur de l'extérieur », c'est ce que définit Du monde entier au cœur du monde; ces poèmes qui balaient la planète de leur projecteur sont des microcosmes; cette mystique de la souffrance et de la bonté donne l'unité aux tribulations les plus vertigineuses de Cendrars. Tout y est action de grâces, comme dans Walt Whitman; après avoir profondément marqué l'unanimisme, le poète de Feuilles d'Herbe alors nous bouleversait. On retrouve chez Cendrars des échos du Chant de la grand'route :

Allons, qui que vous soyez, venez voyager avec moi!
Vous trouverez avec moi ce qui jamais ne fatigue
Camerado, je te donne la main!

Il y avait tout dans Whitman; le Chant de la terre qui roule annonçait les Poèmes élastiques; prophète préraphaélite, imprimeur, clochard intellectuel, dormeur sous les ponts, Whitman reste un des pôles magnétiques d'avant 1914...

... avec Picasso. Des formes archaïques ou naturelles à nos ultimes matériaux, Cendrars, comme Picasso, trouve *son bien partout ; son style est une sorte de béton armé, en porte à faux, où la verticale s'enivre de sa verticalité, où l'horizontale néglige les points d'appui. Notre cher hexagone, dès lors, se trouva coincé entre le Suisse et l'Espagnol, entre Cendrars et Picasso, coincé artistiquement, comme il le fut, politiquement, dans l'étau de Charles Quint.*

Picasso et Cendrars, tous deux sont partis du Lapin agile *et du* Bateau-lavoir *pour un rêve interplanétaire. Chez l'un et chez l'autre il existe des périodes où la perspective est désavouée, où les cornes du taureau sont un guidon du vélo ; même gaieté sinistre, même ironie féroce, même amour pour les infirmités humaines, pour les raretés du difforme, pour la diversité des misères, celle des mendiants, les saltimbanques, mêmes sarcasmes pour les mauvais riches ou les diamantaires itinérants. Cendrars, un reporter, mais un reporter de Dieu ; un aventurier spirituel ; l'homme aux vingt-sept domiciles et à l'œuvre frénétique qui est notre* Cymbalum mundi. *Cendrars, sorte de Tolstoï du transsibérien, ce huitième Oncle, a tout chanté.*

Paul Morand

Du Monde entier

LES PAQUES A NEW YORK

Flecte ramos, arbor alta, tensa laxa viscera
Et rigor lentescat ille quem dedit nativitas
Ut superni membra Regis miti tendas stipite...

Fortunat, *Pange lingua.*

Fléchis tes branches, arbre géant, relâche un
peu la tension des viscères,
Et que ta rigueur naturelle s'alentisse,
N'écartèle pas si rudement les membres du Roi
supérieur...

Remy de Gourmont, *Le Latin Mystique.*

Seigneur, c'est aujourd'hui le jour de votre Nom,
J'ai lu dans un vieux livre la geste de votre Passion,

Et votre angoisse et vos efforts et vos bonnes paroles
Qui pleurent dans le livre, doucement monotones.

Un moine d'un vieux temps me parle de votre mort.
Il traçait votre histoire avec des lettres d'or

Dans un missel, posé sur ses genoux.
Il travaillait pieusement en s'inspirant de Vous.

A l'abri de l'autel, assis dans sa robe blanche,
Il travaillait lentement du lundi au dimanche.

Les heures s'arrêtaient au seuil de son retrait.
Lui, s'oubliait, penché sur votre portrait.

A vêpres, quand les cloches psalmodiaient dans la tour,
Le bon frère ne savait si c'était son amour

Ou si c'était le Vôtre, Seigneur, ou votre Père
Qui battait à grands coups les portes du monastère.

Je suis comme ce bon moine, ce soir, je suis inquiet.
Dans la chambre à côté, un être triste et muet

Attend derrière la porte, attend que je l'appelle!
C'est Vous, c'est Dieu, c'est moi, — c'est l'Éternel.

Je ne Vous ai pas connu alors, — ni maintenant.
Je n'ai jamais prié quand j'étais un petit enfant.

Ce soir pourtant je pense à Vous avec effroi.
Mon âme est une veuve en deuil au pied de votre Croix;

Mon âme est une veuve en noir, — c'est votre Mère
Sans larme et sans espoir, comme l'a peinte Carrière.

Je connais tous les Christs qui pendent dans les musées;
Mais Vous marchez, Seigneur, ce soir à mes côtés.

Je descends à grands pas vers le bas de la ville,
Le dos voûté, le cœur ridé, l'esprit fébrile.

Votre flanc grand-ouvert est comme un grand soleil
Et vos mains tout autour palpitent d'étincelles.

Les vitres des maisons sont toutes pleines de sang
Et les femmes, derrière, sont comme des fleurs de sang,

D'étranges mauvaises fleurs flétries, des orchidées,
Calices renversés ouverts sous vos trois plaies.

Votre sang recueilli, elles ne l'ont jamais bu.
Elles ont du rouge aux lèvres et des dentelles au cul.

Les fleurs de la Passion sont blanches, comme des
    cierges,
Ce sont les plus douces fleurs au Jardin de la Bonne
    Vierge.

C'est à cette heure-ci, c'est vers la neuvième heure,
Que votre Tête, Seigneur, tomba sur votre Cœur.

Je suis assis au bord de l'océan
Et je me remémore un cantique allemand,

Où il est dit, avec des mots très doux, très simples,
    très purs,
La beauté de votre Face dans la torture.

Dans une église, à Sienne, dans un caveau,
J'ai vu la même Face, au mur, sous un rideau.

Et dans un ermitage, à Bourrié-Wladislasz,
Elle est bossuée d'or dans une châsse.

De troubles cabochons sont à la place des yeux
Et des paysans baisent à genoux Vos yeux.

Sur le mouchoir de Véronique Elle est empreinte
Et c'est pourquoi Sainte Véronique est Votre sainte.

C'est la meilleure relique promenée par les champs,
Elle guérit tous les malades, tous les méchants.

Elle fait encore mille et mille autres miracles,
Mais je n'ai jamais assisté à ce spectacle.

Peut-être que la foi me manque, Seigneur, et la bonté
Pour voir ce rayonnement de votre Beauté.

Pourtant, Seigneur, j'ai fait un périlleux voyage
Pour contempler dans un béryl l'intaille de votre image.

Faites, Seigneur, que mon visage appuyé dans les mains
Y laisse tomber le masque d'angoisse qui m'étreint.

Faites, Seigneur, que mes deux mains appuyées sur
    ma bouche
N'y lèchent pas l'écume d'un désespoir farouche.

Je suis triste et malade. Peut-être à cause de Vous,
Peut-être à cause d'un autre. Peut-être à cause de Vous.

Seigneur, la foule des pauvres pour qui vous fîtes le
 Sacrifice
Est ici, parquée, tassée, comme du bétail, dans les
 hospices.

D'immenses bateaux noirs viennent des horizons
Et les débarquent, pêle-mêle, sur les pontons.

Il y a des Italiens, des Grecs, des Espagnols,
Des Russes, des Bulgares, des Persans, des Mongols.
Ce sont des bêtes de cirque qui sautent les méridiens.
On leur jette un morceau de viande noire, comme à
 des chiens.

C'est leur bonheur à eux que cette sale pitance.
Seigneur, ayez pitié des peuples en souffrance.

Seigneur dans les ghettos grouille la tourbe des Juifs
Ils viennent de Pologne et sont tous fugitifs.

Je le sais bien, ils t'ont fait ton Procès;
Mais je t'assure, ils ne sont pas tout à fait mauvais.

Ils sont dans des boutiques sous des lampes de cuivre,
Vendent des vieux habits, des armes et des livres.

Rembrandt aimait beaucoup les peindre dans leurs
  défroques.
Moi, j'ai, ce soir, marchandé un microscope.

Hélas! Seigneur, Vous ne serez plus là, après Pâques!
Seigneur, ayez pitié des Juifs dans les baraques.

Seigneur, les humbles femmes qui vous accompagnèrent
  à Golgotha,
Se cachent. Au fond des bouges, sur d'immondes sophas,

Elles sont polluées par la misère des hommes.
Des chiens leur ont rongé les os, et dans le rhum

Elles cachent leur vice endurci qui s'écaille.
Seigneur, quand une de ces femmes me parle, je défaille.

Je voudrais être Vous pour aimer les prostituées.
Seigneur, ayez pitié des prostituées.

Seigneur, je suis dans le quartier des bons voleurs,
Des vagabonds, des va-nu-pieds, des recéleurs.

Je pense aux deux larrons qui étaient avec vous à la
  Potence,
Je sais que vous daignez sourire à leur malchance.

Seigneur, l'un voudrait une corde avec un nœud au
  bout,
Mais ça n'est pas gratis, la corde, ça coûte vingt sous.

Il raisonnait comme un philosophe, ce vieux bandit.
Je lui ai donné de l'opium pour qu'il aille plus vite en
  paradis.

Je pense aussi aux musiciens des rues,
Au violoniste aveugle, au manchot qui tourne l'orgue
  de Barbarie,

A la chanteuse au chapeau de paille avec des roses de
  papier;
Je sais que ce sont eux qui chantent durant l'éternité.

Seigneur, faites-leur l'aumône, autre que de la lueur
  des becs de gaz,
Seigneur, faites-leur l'aumône de gros sous ici-bas.

Seigneur, quand vous mourûtes, le rideau se fendit,
Ce que l'on vit derrière, personne ne l'a dit.

La rue est dans la nuit comme une déchirure,
Pleine d'or et de sang, de feu et d'épluchures.

Ceux que vous aviez chassés du temple avec votre fouet,
Flagellent les passants d'une poignée de méfaits.

L'Étoile qui disparut alors du tabernacle,
Brûle sur les murs dans la lumière crue des spectacles.

Seigneur, la Banque illuminée est comme un coffre-fort,
Où s'est coagulé le Sang de votre mort.

Les rues se font désertes et deviennent plus noires.
Je chancelle comme un homme ivre sur les trottoirs.

J'ai peur des grands pans d'ombre que les maisons
   projettent.
J'ai peur. Quelqu'un me suit. Je n'ose tourner la tête.

Un pas clopin-clopant saute de plus en plus près.
J'ai peur. J'ai le vertige. Et je m'arrête exprès.

Un effroyable drôle m'a jeté un regard
Aigu, puis a passé, mauvais, comme un poignard.

Seigneur, rien n'a changé depuis que vous n'êtes plus
   Roi.
Le Mal s'est fait une béquille de votre Croix.

Je descends les mauvaises marches d'un café
Et me voici, assis, devant un verre de thé.

Je suis chez des Chinois, qui comme avec le dos
Sourient, se penchent et sont polis comme des magots.

La boutique est petite, badigeonnée de rouge
Et de curieux chromos sont encadrés dans du bambou.

Ho-Kousaï a peint les cent aspects d'une montagne.
Que serait votre Face peinte par un Chinois?...

Cette dernière idée, Seigneur, m'a d'abord fait sourire.
Je vous voyais en raccourci dans votre martyre.

Mais le peintre, pourtant, aurait peint votre tourment
Avec plus de cruauté que nos peintres d'Occident.

Des lames contournées auraient scié vos chairs,
Des pinces et des peignes auraient strié vos nerfs,

On vous aurait passé le col dans un carcan,
On vous aurait arraché les ongles et les dents,

D'immenses dragons noirs se seraient jetés sur Vous,
Et vous auraient soufflé des flammes dans le cou,

On vous aurait arraché la langue et les yeux,
On vous aurait empalé sur un pieu.

Ainsi, Seigneur, vous auriez souffert toute l'infamie,
Car il n'y a pas de plus cruelle posture.

Ensuite, on vous aurait forjeté aux pourceaux
Qui vous auraient rongé le ventre et les boyaux.

Je suis seul à présent, les autres sont sortis,
Je me suis étendu sur un banc contre le mur.

J'aurais voulu entrer, Seigneur, dans une église;
Mais il n'y a pas de cloches, Seigneur, dans cette ville.

Je pense aux cloches tues : — où sont les cloches
  anciennes ?
Où sont les litanies et les douces antiennes ?

Où sont les longs offices et où les beaux cantiques ?
Où sont les liturgies et les musiques ?

Où sont tes fiers prélats, Seigneur, où tes nonnains ?
Où l'aube blanche, l'amict des Saintes et des Saints ?

La joie du Paradis se noie dans la poussière,
Les feux mystiques ne rutilent plus dans les verrières.

L'aube tarde à venir, et dans le bouge étroit
Des ombres crucifiées agonisent aux parois.

C'est comme un Golgotha de nuit dans un miroir
Que l'on voit trembloter en rouge sur du noir.

La fumée, sous la lampe, est comme un linge déteint
Qui tourne, entortillé, tout autour de vos reins.

Par au-dessus, la lampe pâle est suspendue,
Comme votre Tête, triste et morte et exsangue.

Des reflets insolites palpitent sur les vitres...
J'ai peur, — et je suis triste, Seigneur, d'être si triste.

« *Dic nobis, Maria, quid vidisti in via?* »
— La lumière frissonner, humble dans le matin.

« *Dic nobis, Maria, quid vidisti in via?* »
— Des blancheurs éperdues palpiter comme des mains.

« *Dic nobis, Maria, quid vidisti in via?* »
— L'augure du printemps tressaillir dans mon sein.

Seigneur, l'aube a glissé froide comme un suaire
Et a mis tout à nu les gratte-ciel dans les airs.

Déjà un bruit immense retentit sur la ville.
Déjà les trains bondissent, grondent et défilent.

Les métropolitains roulent et tonnent sous terre.
Les ponts sont secoués par les chemins de fer.

La cité tremble. Des cris, du feu et des fumées,
Des sirènes à vapeur rauquent comme des huées.

Une foule enfiévrée par les sueurs de l'or
Se bouscule et s'engouffre dans de longs corridors.

Trouble, dans le fouillis empanaché des toits,
Le soleil, c'est votre Face souillée par les crachats.

Seigneur, je rentre fatigué, seul et très morne...
Ma chambre est nue comme un tombeau...

Seigneur, je suis tout seul et j'ai la fièvre...
Mon lit est froid comme un cercueil...

Seigneur, je ferme les yeux et je claque des dents...
Je suis trop seul. J'ai froid. Je vous appelle...

Cent mille toupies tournoient devant mes yeux...
Non, cent mille femmes... Non, cent mille violoncelles...

Je pense, Seigneur, à mes heures malheureuses...
Je pense, Seigneur, à mes heures en allées...

Je ne pense plus à Vous. Je ne pense plus à Vous.

New York, avril 1912.

PROSE DU TRANSSIBÉRIEN
ET DE LA
PETITE JEANNE DE FRANCE

En ce temps-là j'étais en mon adolescence
J'avais à peine seize ans et je ne me souvenais déjà plus
    de mon enfance
J'étais à 16.000 lieues du lieu de ma naissance
J'étais à Moscou, dans la ville des mille et trois clochers
    et des sept gares
Et je n'avais pas assez des sept gares et des mille et
    trois tours
Car mon adolescence était si ardente et si folle
Que mon cœur, tour à tour, brûlait comme le temple
    d'Éphèse ou comme la Place Rouge de Moscou
Quand le soleil se couche.
Et mes yeux éclairaient des voies anciennes.
Et j'étais déjà si mauvais poète
Que je ne savais pas aller jusqu'au bout.

Le Kremlin était comme un immense gâteau tartare
Croustillé d'or,
Avec les grandes amandes des cathédrales toutes blanches
Et l'or mielleux des cloches...

Un vieux moine me lisait la légende de Novgorode
J'avais soif
Et je déchiffrais des caractères cunéiformes
Puis, tout à coup, les pigeons du Saint-Esprit s'envolaient
    sur la place
Et mes mains s'envolaient aussi, avec des bruissements
    d'albatros
Et ceci, c'était les dernières réminiscences du dernier
    jour
Du tout dernier voyage
Et de la mer.

Pourtant, j'étais fort mauvais poète.
Je ne savais pas aller jusqu'au bout.
J'avais faim
Et tous les jours et toutes les femmes dans les cafés
    et tous les verres
J'aurais voulu les boire et les casser
Et toutes les vitrines et toutes les rues
Et toutes les maisons et toutes les vies
Et toutes les roues des fiacres qui tournaient en tourbillon
    sur les mauvais pavés
J'aurais voulu les plonger dans une fournaise de glaives
Et j'aurais voulu broyer tous les os
Et arracher toutes les langues
Et liquéfier tous ces grands corps étranges et nus sous
    les vêtements qui m'affolent...
Je pressentais la venue du grand Christ rouge de la
    révolution russe...
Et le soleil était une mauvaise plaie
Qui s'ouvrait comme un brasier.

En ce temps-là j'étais en mon adolescence
J'avais à peine seize ans et je ne me souvenais déjà plus
de ma naissance
J'étais à Moscou, où je voulais me nourrir de flammes
Et je n'avais pas assez des tours et des gares que con-
stellaient mes yeux
En Sibérie tonnait le canon, c'était la guerre
La faim le froid la peste le choléra
Et les eaux limoneuses de l'Amour charriaient des
millions de charognes
Dans toutes les gares je voyais partir tous les derniers
trains
Personne ne pouvait plus partir car on ne délivrait plus
de billets
Et les soldats qui s'en allaient auraient bien voulu
rester...
Un vieux moine me chantait la légende de Novgorode.

Moi, le mauvais poète qui ne voulais aller nulle part,
je pouvais aller partout
Et aussi les marchands avaient encore assez d'argent
Pour aller tenter faire fortune.
Leur train partait tous les vendredis matin.
On disait qu'il y avait beaucoup de morts.
L'un emportait cent caisses de réveils et de coucous
de la Forêt-Noire
Un autre, des boîtes à chapeaux, des cylindres et un
assortiment de tire-bouchons de Sheffield
Un autre, des cercueils de Malmoë remplis de boîtes
de conserve et de sardines à l'huile
Puis il y avait beaucoup de femmes
Des femmes des entre-jambes à louer qui pouvaient
aussi servir

Des cercueils
Elles étaient toutes patentées
On disait qu'il y avait beaucoup de morts là-bas
Elles voyageaient à prix réduits
Et avaient toutes un compte-courant à la banque.

Or, un vendredi matin, ce fut enfin mon tour
On était en décembre
Et je partis moi aussi pour accompagner le voyageur
    en bijouterie qui se rendait à Kharbine
Nous avions deux coupés dans l'express et 34 coffres
    de joaillerie de Pforzheim
De la camelote allemande « Made in Germany »
Il m'avait habillé de neuf, et en montant dans le train
    j'avais perdu un bouton
— Je m'en souviens, je m'en souviens, j'y ai souvent
    pensé depuis —
Je couchais sur les coffres et j'étais tout heureux de
    pouvoir jouer avec le browning nickelé qu'il m'avait
    aussi donné

J'étais très heureux insouciant
Je croyais jouer aux brigands
Nous avions volé le trésor de Golconde
Et nous allions, grâce au transsibérien, le cacher de
    l'autre côté du monde
Je devais le défendre contre les voleurs de l'Oural qui
    avaient attaqué les saltimbanques de Jules Verne
Contre les khoungouzes, les boxers de la Chine
Et les enragés petits mongols du Grand-Lama
Alibaba et les quarante voleurs
Et les fidèles du terrible Vieux de la montagne
Et surtout, contre les plus modernes

30

Les rats d'hôtel
Et les spécialistes des express internationaux.

Et pourtant, et pourtant
J'étais triste comme un enfant
Les rythmes du train
La « *moëlle chemin-de-fer* » des psychiatres américains
Le bruit des portes des voix des essieux grinçant sur
    les rails congelés
Le ferlin d'or de mon avenir
Mon browning le piano et les jurons des joueurs de
    cartes dans le compartiment d'à côté
L'épatante présence de Jeanne
L'homme aux lunettes bleues qui se promenait nerveu-
    sement dans le couloir et qui me regardait en passant
Froissis de femmes
Et le sifflement de la vapeur
Et le bruit éternel des roues en folie dans les ornières
    du ciel
Les vitres sont givrées
Pas de nature!
Et derrière, les plaines sibériennes le ciel bas et les
    grandes ombres des Taciturnes qui montent et qui
    descendent
Je suis couché dans un plaid
Bariolé
Comme ma vie
Et ma vie ne me tient pas plus chaud que ce châle
Écossais
Et l'Europe tout entière aperçue au coupe-vent d'un
    express à toute vapeur

N'est pas plus riche que ma vie
Ma pauvre vie
Ce châle
Effiloché sur des coffres remplis d'or
Avec lesquels je roule
Que je rêve
Que je fume
Et la seule flamme de l'univers
Est une pauvre pensée...

Du fond de mon cœur des larmes me viennent
Si je pense, Amour, à ma maîtresse;
Elle n'est qu'une enfant, que je trouvai ainsi
Pâle, immaculée, au fond d'un bordel.

Ce n'est qu'une enfant, blonde, rieuse et triste,
Elle ne sourit pas et ne pleure jamais;
Mais au fond de ses yeux, quand elle vous y laisse boire,
Tremble un doux lys d'argent, la fleur du poète.

Elle est douce et muette, sans aucun reproche,
Avec un long tressaillement à votre approche;
Mais quand moi je lui viens, de-ci, de-là, de fête,
Elle fait un pas, puis ferme les yeux — et fait un pas.
Car elle est mon amour, et les autres femmes
N'ont que des robes d'or sur de grands corps de flammes,
Ma pauvre amie est si esseulée,
Elle est toute nue, n'a pas de corps — elle est trop pauvre.

Elle n'est qu'une fleur candide, fluette,
La fleur du poète, un pauvre lys d'argent,
Tout froid, tout seul, et déjà si fané
Que les larmes me viennent si je pense à son cœur.

Et cette nuit est pareille à cent mille autres quand un
  train file dans la nuit
— Les comètes tombent —
Et que l'homme et la femme, même jeunes, s'amusent
  à faire l'amour.

Le ciel est comme la tente déchirée d'un cirque pauvre
  dans un petit village de pêcheurs
En Flandres
Le soleil est un fumeux quinquet
Et tout au haut d'un trapèze une femme fait la lune.
La clarinette le piston une flûte aigre et un mauvais
  tambour
Et voici mon berceau
Mon berceau
Il était toujours près du piano quand ma mère comme
  Madame Bovary jouait les sonates de Beethoven
J'ai passé mon enfance dans les jardins suspendus de
  Babylone
Et l'école buissonnière, dans les gares devant les trains
  en partance
Maintenant, j'ai fait courir tous les trains derrière moi
Bâle-Tombouctou
J'ai aussi joué aux courses à Auteuil et à Longchamp
Paris-New York
Maintenant, j'ai fait courir tous les trains tout le long
  de ma vie
Madrid-Stockholm
Et j'ai perdu tous mes paris
Il n'y a plus que la Patagonie, la Patagonie, qui convienne
  à mon immense tristesse, la Patagonie, et un voyage
  dans les mers du Sud
Je suis en route

J'ai toujours été en route
Je suis en route avec la petite Jehanne de France
Le train fait un saut périlleux et retombe sur toutes ses
    roues
Le train retombe sur ses roues
Le train retombe toujours sur toutes ses roues

« Blaise, dis, sommes-nous bien loin de Montmartre? »

Nous sommes loin, Jeanne, tu roules depuis sept jours
Tu es loin de Montmartre, de la Butte qui t'a nourrie
    du Sacré-Cœur contre lequel tu t'es blottie
Paris a disparu et son énorme flambée
Il n'y a plus que les cendres continues
La pluie qui tombe
La tourbe qui se gonfle
La Sibérie qui tourne
Les lourdes nappes de neige qui remontent
Et le grelot de la folie qui grelotte comme un dernier
    désir dans l'air bleu
Le train palpite au cœur des horizons plombés
Et ton chagrin ricane...

« Dis, Blaise, sommes-nous bien loin de Montmartre? »

Les inquiétudes
Oublie les inquiétudes
Toutes les gares lézardées obliques sur la route
Les fils télégraphiques auxquels elles pendent
Les poteaux grimaçants qui gesticulent et les étranglent
Le monde s'étire s'allonge et se retire comme un accor-
    déon qu'une main sadique tourmente
Dans les déchirures du ciel, les locomotives en furie

34

S'enfuient
Et dans les trous,
Les roues vertigineuses les bouches les voix
Et les chiens du malheur qui aboient à nos trousses
Les démons sont déchaînés
Ferrailles
Tout est un faux accord
Le *broun-roun-roun* des roues
Chocs
Rebondissements
Nous sommes un orage sous le crâne d'un sourd...

« Dis, Blaise, sommes-nous bien loin de Montmartre ? »

Mais oui, tu m'énerves, tu le sais bien, nous sommes
    bien loin
La folie surchauffée beugle dans la locomotive
La peste le choléra se lèvent comme des braises ardentes
    sur notre route
Nous disparaissons dans la guerre en plein dans un tunnel
La faim, la putain, se cramponne aux nuages en déban-
    dade
Et fiente des batailles en tas puants de morts
Fais comme elle, fais ton métier...

« Dis, Blaise, sommes-nous bien loin de Montmartre ?

Oui, nous le sommes, nous le sommes
Tous les boucs émissaires ont crevé dans ce désert
Entends les sonnailles de ce troupeau galeux Tomsk
Tchéliabinsk Kainsk Obi Taïchet Verkné Oudinsk
    Kourgane Samara Pensa-Touloune
La mort en Mandchourie

Est notre débarcadère est notre dernier repaire
Ce voyage est terrible
Hier matin
Ivan Oulitch avait les cheveux blancs
Et Kolia Nicolaï Ivanovitch se ronge les doigts depuis
    quinze jours...
Fais comme elles la Mort la Famine fais ton métier
Ça coûte cent sous, en transsibérien, ça coûte cent
    roubles
En fièvre les banquettes et rougeoie sous la table
Le diable est au piano
Ses doigts noueux excitent toutes les femmes
La Nature
Les Gouges
Fais ton métier
Jusqu'à Kharbine...

« Dis, Blaise, sommes-nous bien loin de Montmartre? »

Non mais... fiche-moi la paix... laisse-moi tranquille
Tu as les hanches angulaires
Ton ventre est aigre et tu as la chaude-pisse
C'est tout ce que Paris a mis dans ton giron
C'est aussi un peu d'âme... car tu es malheureuse
J'ai pitié j'ai pitié viens vers moi sur mon cœur
Les roues sont les moulins à vent du pays de Cocagne
Et les moulins à vent sont les béquilles qu'un mendiant
    fait tournoyer
Nous sommes les culs-de-jatte de l'espace
Nous roulons sur nos quatre plaies
On nous a rogné les ailes
Les ailes de nos sept péchés

36

Et tous les trains sont les bilboquets du diable
Basse-cour
Le monde moderne
La vitesse n'y peut mais
Le monde moderne
Les lointains sont par trop loin
Et au bout du voyage c'est terrible d'être un homme avec
    une femme...

« Blaise, dis, sommes-nous bien loin de Montmartre? »

J'ai pitié j'ai pitié viens vers moi je vais te conter une
    histoire
Viens dans mon lit
Viens sur mon cœur
Je vais te conter une histoire...

Oh viens! viens!

Aux Fidji règne l'éternel printemps
La paresse
L'amour pâme les couples dans l'herbe haute et la chaude
    syphilis rôde sous les bananiers
Viens dans les îles perdues du Pacifique!
Elles ont nom du Phénix, des Marquises
Bornéo et Java
Et Célèbes à la forme d'un chat.

Nous ne pouvons pas aller au Japon
Viens au Mexique!
Sur ses hauts plateaux les tulipiers fleurissent
Les lianes tentaculaires sont la chevelure du soleil

On dirait la palette et les pinceaux d'un peintre
Des couleurs étourdissantes comme des gongs,
Rousseau y a été
Il y a ébloui sa vie
C'est le pays des oiseaux
L'oiseau du paradis, l'oiseau-lyre
Le toucan, l'oiseau moqueur
Et le colibri niche au cœur des lys noirs.
Viens!
Nous nous aimerons dans les ruines majestueuses d'un
    temple aztèque
Tu seras mon idole
Une idole bariolée enfantine un peu laide et bizarrement
    étrange
Oh viens!

Si tu veux nous irons en aéroplane et nous survolerons
    le pays des mille lacs,
Les nuits y sont démesurément longues
L'ancêtre préhistorique aura peur de mon moteur
J'atterrirai
Et je construirai un hangar pour mon avion avec les os
    fossiles de mammouth
Le feu primitif réchauffera notre pauvre amour
Samowar
Et nous nous aimerons bien bourgeoisement près du
    pôle
Oh viens!

Jeanne Jeannette Ninette nini ninon nichon
Mimi mamour ma poupoule mon Pérou
Dodo dondon
Carotte ma crotte

Chouchou p'tit-cœur
Cocotte
Chérie p'tite chèvre
Mon p'tit-péché mignon
Concon
Coucou
Elle dort.

Elle dort
Et de toutes les heures du monde elle n'en a pas gobé
    une seule
Tous les visages entrevus dans les gares
Toutes les horloges
L'heure de Paris l'heure de Berlin l'heure de Saint-
    Pétersbourg et l'heure de toutes les gares
Et à Oufa, le visage ensanglanté du canonnier
Et le cadran bêtement lumineux de Grodno
Et l'avance perpétuelle du train
Tous les matins on met les montres à l'heure
Le train avance et le soleil retarde
Rien n'y fait, j'entends les cloches sonores
Le gros bourdon de Notre-Dame
La cloche aigrelette du Louvre qui sonna la Barthélemy
Les carillons rouillés de Bruges-la-Morte
Les sonneries électriques de la bibliothèque de New-
    York
Les campagnes de Venise
Et les cloches de Moscou, l'horloge de la Porte-Rouge
    qui me comptait les heures quand j'étais dans un
    bureau
Et mes souvenirs
Le train tonne sur les plaques tournantes
Le train roule

Un gramophone grasseye une marche tzigane
Et le monde, comme l'horloge du quartier juif de Prague,
    tourne éperdument à rebours.

Effeuille la rose des vents
Voici que bruissent les orages déchaînés
Les trains roulent en tourbillon sur les réseaux enche-
    vêtrés
Bilboquets diaboliques
Il y a des trains qui ne se rencontrent jamais
D'autres se perdent en route
Les chefs de gare jouent aux échecs
Tric-trac
Billard
Caramboles
Paraboles
La voie ferrée est une nouvelle géométrie
Syracuse
Archimède
Et les soldats qui l'égorgèrent
Et les galères
Et les vaisseaux
Et les engins prodigieux qu'il inventa
Et toutes les tueries
L'histoire antique
L'histoire moderne
Les tourbillons
Les naufrages
Même celui du *Titanic* que j'ai lu dans le journal
Autant d'images-associations que je ne peux pas déve-
    lopper dans mes vers
Car je suis encore fort mauvais poète
Car l'univers me déborde

Car j'ai négligé de m'assurer contre les accidents de
   chemin de fer
Car je ne sais pas aller jusqu'au bout
Et j'ai peur.

J'ai peur
Je ne sais pas aller jusqu'au bout
Comme mon ami Chagall je pourrais faire une série
   de tableaux déments
Mais je n'ai pas pris de notes en voyage
« Pardonnez-moi mon ignorance
« Pardonnez-moi de ne plus connaître l'ancien jeu des
   vers »
Comme dit Guillaume Apollinaire
Tout ce qui concerne la guerre on peut le lire dans les
   Mémoires de Kouropatkine
Ou dans les journaux japonais qui sont aussi cruellement
   illustrés
A quoi bon me documenter
Je m'abandonne
Aux sursauts de ma mémoire...

A partir d'Irkoutsk le voyage devint beaucoup trop lent
Beaucoup trop long
Nous étions dans le premier train qui contournait le lac
   Baïkal
On avait orné la locomotive de drapeaux et de lampions
Et nous avions quitté la gare aux accents tristes de
   l'hymne au Tzar.
Si j'étais peintre je déverserais beaucoup de rouge,
   beaucoup de jaune sur la fin de ce voyage

Car je crois bien que nous étions tous un peu fous
Et qu'un délire immense ensanglantait les faces énervées
  de mes compagnons de voyage
Comme nous approchions de la Mongolie
Qui ronflait comme un incendie.
Le train avait ralenti son allure
Et je percevais dans le grincement perpétuel des roues
Les accents fous et les sanglots
D'une éternelle liturgie

J'ai vu
J'ai vu les trains silencieux les trains noirs qui revenaient
  de l'Extrême-Orient et qui passaient en fantômes
Et mon œil, comme le fanal d'arrière, court encore
  derrière ces trains
A Talga 100.000 blessés agonisaient faute de soins
J'ai visité les hôpitaux de Krasnoïarsk
Et à Khilok nous avons croisé un long convoi de soldats
  fous
J'ai vu dans les lazarets des plaies béantes des blessures
  qui saignaient à pleines orgues
Et les membres amputés dansaient autour ou s'envolaient
  dans l'air rauque
L'incendie était sur toutes les faces dans tous les cœurs
Des doigts idiots tambourinaient sur toutes les vitres
Et sous la pression de la peur les regards crevaient comme
  des abcès
Dans toutes les gares on brûlait tous les wagons
Et j'ai vu
J'ai vu des trains de 60 locomotives qui s'enfuyaient à
  toute vapeur pourchassées par les horizons en rut
  et des bandes de corbeaux qui s'envolaient désespéré-
  ment après

Disparaître
Dans la direction de Port-Arthur.

A Tchita nous eûmes quelques jours de répit
Arrêt de cinq jours vu l'encombrement de la voie
Nous le passâmes chez Monsieur Iankéléwitch qui vou-
     lait me donner sa fille unique en mariage
Puis le train repartit.
Maintenant c'était moi qui avais pris place au piano et
     j'avais mal aux dents
Je revois quand je veux cet intérieur si calme le magasin
     du père et les yeux de la fille qui venait le soir dans
     mon lit
Moussorgsky
Et les lieder de Hugo Wolf
Et les sables du Gobi
Et à Khaïlar une caravane de chameaux blancs
Je crois bien que j'étais ivre durant plus de 500 kilo-
     mètres
Mais j'étais au piano et c'est tout ce que je vis
Quand on voyage on devrait fermer les yeux
Dormir
J'aurais tant voulu dormir
Je reconnais tous les pays les yeux fermés à leur odeur
Et je reconnais tous les trains au bruit qu'ils font
Les trains d'Europe sont à quatre temps tandis que ceux
     d'Asie sont à cinq ou sept temps
D'autres vont en sourdine sont des berceuses
Et il y en a qui dans le bruit monotone des roues me
     rappellent la prose lourde de Maeterlinck
J'ai déchiffré tous les textes confus des roues et j'ai
     rassemblé les éléments épars d'une violente beauté

Que je possède
Et qui me force.

Tsitsika et Kharbine
Je ne vais pas plus loin
C'est la dernière station
Je débarquai à Kharbine comme on venait de mettre
    le feu aux bureaux de la Croix-Rouge.

O Paris
Grand foyer chaleureux avec les tisons entrecroisés de
    tes rues et tes vieilles maisons qui se penchent au-
    dessus et se réchauffent
Comme des aïeules
Et voici des affiches, du rouge du vert multicolores
    comme mon passé bref du jaune
Jaune la fière couleur des romans de la France à
    l'étranger.
J'aime me frotter dans les grandes villes aux autobus
    en marche
Ceux de la ligne Saint-Germain-Montmartre m'empor-
    tent à l'assaut de la Butte
Les moteurs beuglent comme les taureaux d'or
Les vaches du crépuscule broutent le Sacré-Cœur
O Paris
Gare centrale débarcadère des volontés carrefour des
    inquiétudes
Seuls les marchands de couleur ont encore un peu de
    lumière sur leur porte
La Compagnie Internationale des Wagons-Lits et des
    Grands Express Européens m'a envoyé son prospectus

C'est la plus belle église du monde
J'ai des amis qui m'entourent comme des garde-fous
Ils ont peur quand je pars que je ne revienne plus
Toutes les femmes que j'ai rencontrées se dressent aux
    horizons
Avec les gestes piteux et les regards tristes des séma-
    phores sous la pluie
Bella, Agnès, Catherine et la mère de mon fils en Italie
Et celle, la mère de mon amour en Amérique
Il y a des cris de sirène qui me déchirent l'âme
Là-bas en Mandchourie un ventre tressaille encore
    comme dans un accouchement
Je voudrais
Je voudrais n'avoir jamais fait mes voyages
Ce soir un grand amour me tourmente
Et malgré moi je pense à la petite Jehanne de France.
C'est par un soir de tristesse que j'ai écrit ce poème en
    son honneur
Jeanne
La petite prostituée
Je suis triste je suis triste
J'irai au *Lapin agile* me ressouvenir de ma jeunesse
    perdue
Et boire des petits verres
Puis je rentrerai seul

Paris

Ville de la Tour unique du grand Gibet et de la Roue.

Paris, 1913.

*a Edmond Bertrand
barman au Matachine*

LE PANAMA OU LES AVENTURES
DE MES SEPT ONCLES

Des livres
Il y a des livres qui parlent du Canal de Panama
Je ne sais pas ce que disent les catalogues des biblio-
    thèques
Et je n'écoute pas les journaux financiers
Quoique les bulletins de la Bourse soient notre prière
    quotidienne

Le Canal de Panama est intimement lié à mon enfance...
Je jouais sous la table
Je disséquais les mouches
Ma mère me racontait les aventures de ses sept frères
De mes sept oncles
Et quand elle recevait des lettres
Éblouissement!
Ces lettres avec les beaux timbres exotiques qui portent
    les vers de Rimbaud en exergue
Elle ne me racontait rien ce jour-là
Et je restais triste sous ma table

C'est aussi vers cette époque que j'ai lu l'histoire du
    tremblement de terre de Lisbonne

Mais je crois bien
Que le crach du Panama est d'une importance plus uni-
    verselle
Car il a bouleversé mon enfance.

J'avais un beau livre d'images
Et je voyais pour la première fois
La baleine
Le gros nuage
Le morse
Le soleil
Le grand morse
L'ours le lion le chimpanzé le serpent à sonnettes et la
    mouche
La mouche
La terrible mouche
— Maman, les mouches! les mouches! et les troncs
    d'arbres!
— Dors, dors, mon enfant.
Ahasvérus est idiot

J'avais un beau livre d'images
Un grand lévrier qui s'appelait Dourak
Une bonne anglaise
Banquier
Mon père perdit les 3/4 de sa fortune
Comme nombre d'honnêtes gens qui perdirent leur
    argent dans ce crach,
Mon père
Moins bête
Perdait celui des autres,
Coups de revolver.

Ma mère pleurait.
Et ce soir-là on m'envoya coucher avec la bonne anglaise

Puis au bout d'un nombre de jours bien long...
Nous avions dû déménager
Et les quelques chambres de notre petit appartement
  étaient bourrées de meubles
Nous n'étions plus dans notre villa de la côte
J'étais seul des jours entiers
Parmi les meubles entassés
Je pouvais même casser de la vaisselle
Fendre les fauteuils
Démolir le piano...
Puis au bout d'un nombre de jours bien long
Vint une lettre d'un de mes oncles

C'est le crach du Panama qui fit de moi un poète!
C'est épatant
Tous ceux de ma génération sont ainsi
Jeunes gens
Qui ont subi des ricochets étranges
On ne joue plus avec des meubles
On ne joue plus avec des vieilleries
On casse toujours et partout la vaisselle
On s'embarque
On chasse les baleines
On tue les morses
On a toujours peur de la mouche tsé-tsé
Car nous n'aimons pas dormir.

L'ours le lion le chimpanzé le serpent à sonnettes
  m'avaient appris à lire...

Oh cette première lettre que je déchiffrai seul et plus
   grouillante que toute la création
Mon oncle disait
Je suis boucher à Galveston
Les abattoirs sont à 6 lieues de la ville
C'est moi qui ramène les bêtes saignantes, le soir, tout
   le long de la mer
Et quand je passe les pieuvres se dressent en l'air
Soleil couchant...
Et il y avait encore quelque chose
La tristesse
Et le mal du pays.

Mon oncle, tu as disparu durant le cyclone de 1895
J'ai vu depuis la ville reconstruite et je me suis pro-
   mené au bord de la mer où tu menais les bêtes sai-
   gnantes
Il y avait une fanfare salutiste qui jouait dans un kiosque
   en treillage
On m'a offert une tasse de thé
On n'a jamais retrouvé ton cadavre
Et à ma vingtième année j'ai hérité de tes 400 dollars
   d'économie
Je possède aussi la boîte à biscuits qui te servait de
   reliquaire
Elle est en fer-blanc
Toute ta pauvre religion
Un bouton d'uniforme
Une pipe kabyle
Des graines de cacao
Une dizaine d'aquarelles de ta main

Et les photos des bêtes à prime, les taureaux géants que
   tu tiens en laisse
Tu es en bras de chemise avec un tablier blanc

Moi aussi j'aime les animaux
Sous la table
Seul
Je joue déjà avec les chaises
Armoires portes
Fenêtres
Mobilier modern-style
Animaux préconçus
Qui trônent dans les maisons
Comme la reconstitution des bêtes antédiluviennes dans
   les musées
Le premier escabeau est un aurochs!
J'enfonce les vitrines
Et j'ai jeté tout cela
La ville, en pâture à mon chien
Les images
Les livres
La bonne
Les visites
Quels rires!

Comment voulez-vous que je prépare des examens?
Vous m'avez envoyé dans tous les pensionnats d'Europe
Lycées
Gymnases
Université
Comment voulez-vous que je prépare des examens
Quand une lettre est sous la porte

J'ai vu
La belle pédagogie!
J'ai vu au cinéma le voyage qu'elle a fait
Elle a mis soixante-huit jours pour venir jusqu'à moi
Chargée de fautes d'orthographe
Mon deuxième oncle :
J'ai marié la femme qui fait le meilleur pain du district
J'habite à trois journées de mon plus proche voisin
Je suis maintenant chercheur d'or à Alaska
Je n'ai jamais trouvé plus de 500 francs d'or dans ma
    pelle
La vie non plus ne se paye pas à sa valeur!
J'ai eu trois doigts gelés
Il fait froid...
Et il y avait encore quelque chose
La tristesse
Et le mal du pays.

Oh mon oncle, ma mère m'a tout dit
Tu as volé des chevaux pour t'enfuir avec tes frères
Tu t'es fait mousse à bord d'un cargo-boat
Tu t'es cassé la jambe en sautant d'un train en marche
Et après l'hôpital, tu as été en prison pour avoir arrêté
    une diligence
Et tu faisais des poésies inspirées de Musset
San-Francisco
C'est là que tu lisais l'histoire du général Suter qui a
    conquis la Californie aux États-Unis
Et qui, milliardaire, a été ruiné par la découverte des
    mines d'or sur ses terres
Tu as longtemps chassé dans la vallée du Sacramento
    où j'ai travaillé au défrichement du sol
Mais qu'est-il arrivé

Je comprends ton orgueil
Manger le meilleur pain du district et la rivalité des
    voisins 12 femmes par 1.000 kilomètres carrés
On t'a trouvé
La tête trouée d'un coup de carabine
Ta femme n'était pas là
Ta femme s'est remariée depuis avec un riche fabricant
    de confitures

J'ai soif
Nom de Dieu
De nom de Dieu
De nom de Dieu
Je voudrais lire *la Feuille d'Avis de Neuchâtel* ou *le
    Courrier de Pampelune*
Au milieu de l'Atlantique on n'est pas plus à l'aise que
    dans une salle de rédaction
Je tourne dans la cage des méridiens comme un écureuil
    dans la sienne
Tiens voilà un Russe qui a une tête sympathique
Où aller
Lui non plus ne sait où déposer son bagage
A Léopoldville ou à la Sedjérah près Nazareth, chez
    Mr Junod ou chez mon vieil ami Perl
Au Congo en Bessarabie à Samoa
Je connais tous les horaires
Tous les trains et leurs correspondances
L'heure d'arrivée l'heure du départ
Tous les paquebots tous les tarifs et toutes les taxes
Ça m'est égal
J'ai des adresses
Vivre de la tape

Je reviens d'Amérique à bord du *Volturno*, pour 35 francs
   de New York à Rotterdam

C'est le baptême de la ligne
Les machines continues s'appliquent de bonnes claques
Boys
Platch
Les baquets d'eau
Un Américain les doigts tachés d'encre bat la mesure
La télégraphie sans fil
On danse avec les genoux dans les pelures d'orange et
   les boîtes de conserve vides
Une délégation est chez le capitaine
Le Russe révolutionnaire expériences érotiques
Gaoupa
Le plus gros mot hongrois
J'accompagne une marquise napolitaine enceinte de
   8 mois
C'est moi qui mène les émigrants de Kichinef à Hambourg
C'est en 1901 que j'ai vu la première automobile,
En panne,
Au coin d'une rue
Ce petit train que les Soleurois appellent un fer à
   repasser
Je téléphonerai à mon consul
Délivrez-moi immédiatement un billet de 3e classe
The Uranium Steamship Co
J'en veux pour mon argent
Le navire est à quai
Débraillé
Les sabords grand ouverts
Je quitte le bord comme on quitte une sale putain

En route
Je n'ai pas de papier pour me torcher
Et je sors
Comme le dieu Tangaloa qui en pêchant à la ligne tira
    le monde hors des eaux
La dernière lettre de mon troisième oncle :
Papeete, le 1er septembre 1887.
Ma sœur, ma très chère sœur
Je suis bouddhiste membre d'une secte politique
Je suis ici pour faire des achats de dynamite
On en vend chez les épiciers comme chez vous la chicorée
Par petits paquets
Puis je retournerai à Bombay faire sauter les Anglais
Ça chauffe
Je ne te reverrai jamais plus...
Et il y avait encore quelque chose
La tristesse
Et le mal du pays.

Vagabondage
J'ai fait de la prison à Marseille et l'on me ramène de
    force à l'école
Toutes les voix crient ensemble
Les animaux et les pierres
C'est le muet qui a la plus belle parole
J'ai été libertin et je me suis permis toutes les privautés
    avec le monde
Vous qui aviez la foi pourquoi n'êtes-vous pas arrivé
    à temps
A votre âge
Mon oncle
Tu étais joli garçon et tu jouais très bien du cornet à
    pistons

C'est ça qui t'a perdu comme on dit vulgairement
Tu aimais tant la musique que tu préféras le ronflement
  des bombes aux symphonies des habits noirs
Tu as travaillé avec des joyeux Italiens à la construction
  d'une voie ferrée dans les environs de Baghavapour
Boute en train
Tu étais le chef de file de tes compagnons
Ta belle humeur et ton joli talent d'orphéoniste
Tu es la coqueluche des femmes du baraquement
Comme Moïse tu as assommé ton chef d'équipe
Tu t'es enfui
On est resté 12 ans sans aucune nouvelle de toi
Et comme Luther un coup de foudre t'a fait croire à
  Dieu
Dans ta solitude
Tu apprends le bengali et l'urlu pour apprendre à fabri-
  quer les bombes
Tu as été en relation avec les comités secrets de Londres
C'est à White-Chapel que j'ai retrouvé ta trace
Tu es convict
Ta vie circoncise
Telle que
J'ai envie d'assassiner quelqu'un au boudin ou à la
  gaufre pour avoir l'occasion de te voir
Car je ne t'ai jamais vu
Tu dois avoir une longue cicatrice au front

Quant à mon quatrième oncle il était valet de chambre
  du général Robertson qui a fait la guerre aux Boërs
Il écrivait rarement des lettres ainsi conçues
Son Excellence a daigné m'augmenter de 50 £
Ou
Son Excellence emporte 48 paires de chaussures à la guerre

Ou
Je fais les ongles de Son Excellence tous les matins...
Mais je sais
Qu'il y avait encore quelque chose
La tristesse
Et le mal du pays.

Mon oncle Jean, tu es le seul de mes sept oncles que j'aie
    jamais vu
Tu étais rentré au pays car tu te sentais malade
Tu avais un grand coffre en cuir d'hippopotame qui était
    toujours bouclé
Tu t'enfermais dans ta chambre pour te soigner
Quand je t'ai vu pour la première fois, tu dormais
Ton visage était terriblement souffrant
Une longue barbe
Tu dormais depuis 15 jours
Et comme je me penchais sur toi
Tu t'es réveillé
Tu étais fou
Tu as voulu tuer grand'mère
On t'a enfermé à l'hospice
Et c'est là que je t'ai vu pour la deuxième fois
Sanglé
Dans la camisole de force
On t'a empêché de débarquer
Tu faisais de pauvres mouvements avec tes mains
Comme si tu allais ramer
Transvaal
Vous étiez en quarantaine et les horse-guards avaient
    braqué un canon sur votre navire
Prétoria
Un Chinois faillit t'étrangler

Le Tougéla
Lord Robertson est mort
Retour à Londres
La garde-robe de Son Excellence tombe à l'eau ce qui
    te va droit au cœur
Tu es mort en Suisse à l'asile d'aliénés de Saint-Aubain
Ton entendement
Ton enterrement
Et c'est là que je t'ai vu pour la troisième fois
Il neigeait
Moi, derrière ton corbillard, je me disputais avec les
    croque-morts à propos de leur pourboire
Tu n'as aimé que deux choses au monde
Un cacatoès
Et les ongles roses de Son Excellence

Il n'y a pas d'espérance
Et il faut travailler
Les vies encloses sont les plus denses
Tissus stéganiques
Remy de Gourmont habite au 71 de la rue des Saints-
    Pères
Filagore ou seizaine
« Séparés un homme rencontre un homme mais une
    montagne ne rencontre jamais une autre montagne »
Dit un proverbe hébreu
Les précipices se croisent
J'étais à Naples
1896
Quand j'ai reçu le *Petit Journal Illustré*
Le capitaine Dreyfus dégradé devant l'armée
Mon cinquième oncle :
Je suis chef au Club-Hôtel de Chicago

J'ai 400 gâte-sauces sous mes ordres
Mais je n'aime pas la cuisine des Yankees
Prenez bonne note de ma nouvelle adresse
Tunis etc.
Amitiés de la tante Adèle
Prenez bonne note de ma nouvelle adresse
Biarritz etc.

Oh mon oncle, toi seul tu n'as jamais eu le mal du pays
Nice Londres Buda-Pest Bermudes Saint-Pétersbourg
    Tokio Memphis
Tous les grands hôtels se disputent tes services
Tu es le maître
Tu as inventé nombre de plats doux qui portent ton nom
Ton art
Tu te donnes tu te vends on te mange
On ne sait jamais où tu es
Tu n'aimes pas rester en place
Il paraît que tu possèdes une *Histoire de la Cuisine à
    travers tous les âges et chez tous les peuples*
En 12 vol. in-8°
Avec les portraits des plus fameux cuisiniers de l'histoire
Tu connais tous les événements
Tu as toujours été partout où il se passait quelque chose
Tu es peut-être à Paris.
Tes menus
Sont la poésie nouvelle

J'ai quitté tout cela
J'attends
La guillotine est le chef-d'œuvre de l'art plastique
Son déclic

Denver, the Residence City and Commercial Center

DENVER is the capital of Colorado and the commercial metropolis of the Rocky Mountain Region. The city is in its fifty-fifth year and has a population of approximately 225.000 as indicated by the U. S. Census of 1910. Many people who have not visited Colorado, believe Denver is situated in the mountains. This city is located 12 miles east of the foothills of the Rocky Mountains, near the north central part of the state, at the junction of the Platte River and Cherry Creek. The land is rolling, giving the city perfect drainage. Altitude one mile above sea level. Area 60 square miles.

Ideal Climate, Superior Educational Advantages Unequalled Park System

DENVER has the lowest death rate of the cities of the United States.

DENVER has 61 grade schools, 4 high schools, 1 manual training school, 1 trade and 1 technical school.

DENVER has 209 churches of every denomination.

DENVER has 29 parks; total area 1,238 acres.

DENVER has 11 playgrounds — 8 in parks, 3 in individual tracts.

DENVER has 56 miles of drives in its parks.

Commercial and Manufacturing City

Annual Bank Clearings, $ 487,848,305.95.

Per capita clearings, $ 180.00.

Annual manufacturing output, $ 57,711,000 (1912).

Eighteen trunk lines entering Denver, tapping the richest agricultural sections of the United States.

DENVER has 810 factories, in which 16,251 wage earners were employed during 1911. The output of factories in DENVER in 1911 was valued at $52,000,000. The payroll for the year was $12,066,000 — OVER A MILLION DOLLARS A MONTH !

DENVER, COLORADO, BERLIN, GERMANY and MANCHESTER, ENGLAND, are cited by Economists as examples of inland cities which have become great because they are located at a sort of natural cross-roads.

For detailed information, apply to the *Denver Chamber of Commerce.* *Prospectus free.*

Mouvement perpétuel
Le sang des bandits
Les chants de la lumière ébranlent les tours
Les couleurs croulent sur la ville
Affiche plus grande que toi et moi
Bouche ouverte et qui crie
Dans laquelle nous brûlons
Les trois jeunes gens ardents
Hananie Mizaël Azarie
Adam's Express Cⁱ
Derrière l'Opéra
Il faut jouer à saute-mouton
A la brebis qui broute
Femme-tremplin
Le beau joujou de la réclame
En route!
Siméon, Siméon
Paris-adieux

C'est rigolo
Il y a des heures qui sonnent
Quai-d'Orsay-Saint-Nazaire!
On passe sous la Tour Eiffel — boucler la boucle — pour
    retomber de l'autre côté du monde
Puis on continue

Les catapultes du soleil assiègent les tropiques irascibles
Riche Péruvien propriétaire de l'exploitation du guano
    d'Angamos
On lance l'Acaraguan Bananan
A l'ombre
Les mulâtres hospitaliers

J'ai passé plus d'un hiver dans ces îles fortunées
L'oiseau-secrétaire est un éblouissement
Belles dames plantureuses
On boit des boissons glacées sur la terrasse
Un torpilleur brûle comme un cigare
Une partie de polo dans le champ d'ananas
Et les palétuviers éventent les jeunes filles studieuses
My gun
Coup de feu
Un observatoire au flanc du volcan
De gros serpents dans la rivière desséchée
Haie de cactus
Un âne claironne la queue en l'air
La petite Indienne qui louche veut se rendre à Buenos-
    Ayres
Le musicien allemand m'emprunte ma cravache à
    pommeau d'argent et une paire de gants de Suède
Ce gros Hollandais est géographe
On joue aux cartes en attendant le train
C'est l'anniversaire de la Malaise
Je reçois un paquet à mon nom, 200.000 pésétas et une
    lettre de mon sixième oncle :
Attends-moi à la factorerie jusqu'au printemps prochain
Amuse-toi bien bois sec et n'épargne pas les femmes
Le meilleur électuaire
Mon neveu...
Et il y avait encore quelque chose
La tristesse
Et le mal du pays.

Oh mon oncle, je t'ai attendu un an et tu n'es pas venu
Tu étais parti avec une compagnie d'astronomes qui allait
    inspecter le ciel sur la côte occidentale de la Patagonie

61

Tu leur servais d'interprète et de guide
Tes conseils
Ton expérience
Il n'y en avait pas deux comme toi pour viser l'horizon
    au sextant
Les instruments en équilibre
Électro-magnétiques
Dans les fjords de la Terre de Feu
Aux confins du monde
Vous pêchiez des mousses protozoaires en dérive entre
    deux eaux à la lueur des poissons électriques
Vous collectionniez des aérolithes de peroxyde de fer
Un dimanche matin :
Tu vis un évêque mitré sortir des eaux
Il avait une queue de poisson et t'aspergeait de signes de
    croix
Tu t'es enfui dans la montagne en hurlant comme un
    vari blessé
La nuit même
Un ouragan détruisit le campement
Tes compagnons durent renoncer à l'espoir de te retrou-
    ver vivant
Ils emportèrent soigneusement les documents scientifiques
Et au bout de trois mois,
Les pauvres intellectuels,
Ils arrivèrent un soir à un feu de gauchos où l'on
    causait justement de toi
J'étais venu à ta rencontre
Tupa
La belle nature
Les étalons s'enculent
200 taureaux noirs mugissent
Tango-argentin

Bien quoi
Il n'y a donc plus de belles histoires
La Vie des Saints
Das Nachtbuechlein von Schuman
Cymbalum mundi
La Tariffa delle Puttane di Venegia
Navigation de Jean Struys, Amsterdam », 1528
Shalom Aleïchem
Le Crocodile de Saint-Martin
Strindberg a démontré que la terre n'est pas ronde
Déjà Gavarni avait aboli la géométrie
Pampas
Disque
Les iroquoises du vent
Saupiquets
L'hélice des gemmes
Maggi
Byrrh
Daily Chronicle
La vague est une carrière où l'orage en sculpteur abat
    des blocs de taille
Quadriges d'écume qui prennent le mors aux dents
Éternellement
Depuis le commencement du monde
Je siffle
Un frissoulis de bris

Mon septième oncle
On n'a jamais su ce qu'il est devenu
On dit que je te ressemble
. . . .

Je vous dédie ce poème
Monsieur Bertrand
Vous m'avez offert des liqueurs fortes pour me pré-
munir contre les fièvres du canal
Vous vous êtes abonné à l'Argus de la Presse pour recevoir
toutes les coupures qui me concernent.
Dernier Français de Panama (il n'y en a pas 20)
Je vous dédie ce poème
Barman du Matachine
Des milliers de Chinois sont morts où se dresse mainte-
nant le Bar flamboyant
Vous distillez
Vous vous êtes enrichi en enterrant les cholériques
Envoyez-moi la photographie de la forêt de chênes-
lièges qui pousse sur les 400 locomotives abandonnées
par l'entreprise française
Cadavres-vivants
Le palmier greffé dans la banne d'une grue chargée
d'orchidées
Les canons d'Aspinwall rongés par les toucans
La drague aux tortues
Les pumas qui nichent dans le gazomètre défoncé
Les écluses perforées par les poissons-scie
La tuyauterie des pompes bouchée par une colonie
d'iguanes
Les trains arrêtés par l'invasion des chenilles
Et l'ancre gigantesque aux armoiries de Louis XV dont
vous n'avez su m'expliquer la présence dans la forêt
Tous les ans vous changez les portes de votre établis-
sement incrustées de signatures
Tous ceux qui passèrent chez vous
Ces 32 portes quel témoignage
Langues vivantes de ce sacré canal que vous chérissez tant

                    Ce matin est le premier jour du monde
                                                    Isthme
D'où l'on voit simultanément tous les astres du ciel
                            et toutes les formes de la végétation
                    Préexcellence des montagnes équatoriales
                                                Zone unique
Il y a encore le vapeur de l'Amidon Paterson
Les initiales en couleurs de l'Atlantic-Pacific Tea-Trust
Le Los Angeles limited qui part à 10 h 02 pour arriver
    le troisième jour et qui est le seul train au monde
    avec wagon-coiffeur
Le Trunk les éclipses et les petites voitures d'enfants
Pour vous apprendre à épeler l'A B C de la vie sous la
    férule des sirènes en partance
Toyo Kisen Kaïsha
J'ai du pain et du fromage
Un col propre
La poésie date d'aujourd'hui
                            La voie lactée autour du cou
                            Les deux hémisphères sur les yeux
                                            A toute vitesse
                                    Il n'y a plus de pannes
Si j'avais le temps de faire quelques économies je pren-
    drais part au rallye aérien
J'ai réservé ma place dans le premier train qui passera
    le tunnel sous la Manche
Je suis le premier aviateur qui traverse l'Atlantique en
    monocoque
900 millions

Terre Terre Eaux Océans Ciels
J'ai le mal du pays

Je suis tous les visages et j'ai peur des boîtes aux lettres
Les villes sont des ventres
Je ne suis plus les voies
Lignes
      Câbles
            Canaux
                   Ni les ponts suspendus !

Soleils lunes étoiles
Mondes apocalyptiques
Vous avez encore tous un beau rôle à jouer
Un siphon éternue
Les cancans littéraires vont leur train
Tout bas
A la Rotonde
Comme tout au fond d'un verre
                   J'ATTENDS

Je voudrais être la cinquième roue du char
Orage
Midi à quatorze heures
Rien et partout

PARIS ET SA BANLIEUE

Saint-Cloud, Sèvres, Montmorency, Cour-
bevoie, Bougival, Rueil, Montrouge, Saint-
Denis, Vincennes, Étampes, Melun, Saint-
Martin, Méréville, Barbizon, Forges-en-
Bière.

Juin 1913-juin 1914.

Dix-neuf poèmes élastiques

1. JOURNAL

Christ
Voici plus d'un an que je n'ai plus pensé à Vous
Depuis que j'ai écrit mon avant-dernier poème Pâques
Ma vie a bien changé depuis
Mais je suis toujours le même
J'ai même voulu devenir peintre
Voici les tableaux que j'ai faits et qui ce soir pendent
   aux murs
Ils m'ouvrent d'étranges vues sur moi-même qui me
   font penser à Vous.

Christ
La vie
Voilà ce que j'ai fouillé

Mes peintures me font mal
Je suis trop passionné
Tout est orangé.

J'ai passé une triste journée à penser à mes amis
Et à lire le journal
Christ

Vie crucifiée dans le journal grand ouvert que je tiens
   les bras tendus
Envergures
Fusées
Ébullition
Cris.
On dirait un aéroplane qui tombe.
C'est moi.

Passion
Feu
Roman-feuilleton
Journal
On a beau ne pas vouloir parler de soi-même
Il faut parfois crier

Je suis l'autre
Trop sensible

Août 1913.

2. TOUR

1910
Castellamare
Je dînais d'une orange à l'ombre d'un oranger
Quand, tout à coup...
Ce n'était pas l'éruption du Vésuve
Ce n'était pas le nuage de sauterelles, une des dix plaies
    d'Égypte
Ni Pompéi
Ce n'était pas les cris ressuscités des mastodontes géants
Ce n'était pas la Trompette annoncée
Ni la grenouille de Pierre Brisset
Quand, tout à coup,
Feux
Chocs
Rebondissements
Étincelle des horizons simultanés
Mon sexe

    O Tour Eiffel!
Je ne t'ai pas chaussée d'or
Je ne t'ai pas fait danser sur les dalles de cristal
Je ne t'ai pas vouée au Python comme une vierge de
    Carthage

Je ne t'ai pas revêtue du péplum de la Grèce
Je ne t'ai jamais fait divaguer dans l'enceinte des menhirs
Je ne t'ai pas nommée Tige de David ni Bois de la
    Croix
Lignum Crucis
      O Tour Eiffel
Feu d'artifice géant de l'Exposition Universelle!
Sur le Gange
A Bénarès
Parmi les toupies onanistes des temples hindous
Et les cris colorés des multitudes de l'Orient
Tu te penches, gracieux Palmier!
C'est toi qui à l'époque légendaire du peuple hébreu
Confondis la langue des hommes
O Babel!
Et quelque mille ans plus tard, c'est toi qui retombais
    en langues de feu sur les Apôtres rassemblés dans ton
    église
En pleine mer tu es un mât
Et au Pôle-Nord
Tu resplendis avec toute la magnificence de l'aurore
    boréale de ta télégraphie sans fil
Les lianes s'enchevêtrent aux eucalyptus
Et tu flottes, vieux tronc, sur le Mississipi
Quand
Ta gueule s'ouvre
Et un caïman saisit la cuisse d'un nègre
En Europe tu es comme un gibet
(Je voudrais être la tour, pendre à la Tour Eiffel!)
Et quand le soleil se couche derrière toi
La tête de Bonnot roule sous la guillotine
Au cœur de l'Afrique c'est toi qui cours
Girafe

Autruche
Boa
Équateur
Moussons
En Australie tu as toujours été tabou
Tu es la gaffe que le capitaine Cook employait pour diriger
  son bateau d'aventuriers
O sonde céleste!
Pour le Simultané Delaunay, à qui je dédie ce poème,
Tu es le pinceau qu'il trempe dans la lumière

Gong tam-tam zanzibar bête de la jungle rayons-X
  express bistouri symphonie
Tu es tout
Tour
Dieu antique
Bête moderne
Spectre solaire
Sujet de mon poème
Tour
Tour du monde
Tour en mouvement

Août 1913.

3. CONTRASTES

Les fenêtres de ma poésie sont grand'ouvertes sur les
  boulevards et dans ses vitrines
Brillent
Les pierreries de la lumière
Écoute les violons des limousines et les xylophones des
  linotypes
Le pocheur se lave dans l'essuie-main du ciel
Tout est taches de couleur
Et les chapeaux des femmes qui passent sont des comètes
  dans l'incendie du soir

L'unité
Il n'y a plus d'unité
Toutes les horloges marquent maintenant 24 heures
  après avoir été retardées de dix minutes
Il n'y a plus de temps.
Il n'y a plus d'argent.
A la Chambre
On gâche les éléments merveilleux de la matière première

Chez le bistro
Les ouvriers en blouse bleue boivent du vin rouge

Tous les samedis poule au gibier
On joue
On parie
De temps en temps un bandit passe en automobile
Ou un enfant joue avec l'Arc de Triomphe...
Je conseille à M. Cochon de loger ses protégés à la
    Tour Eiffel.

Aujourd'hui
Changement de propriétaire
Le Saint-Esprit se détaille chez les plus petits bouti-
    quiers
Je lis avec ravissement les bandes de calicot
De coquelicot
Il n'y a que les pierres ponces de la Sorbonne qui ne sont
    jamais fleuries
L'enseigne de la Samaritaine laboure par contre la Seine
Et du côté de Saint-Séverin
J'entends
Les sonnettes acharnées des tramways

Il pleut les globes électriques
Montrouge Gare de l'Est Métro Nord-Sud bateaux-
    mouches monde
Tout est halo
Profondeur
Rue de Buci on crie *L'Intransigeant* et *Paris-Sports*
L'aérodrome du ciel est maintenant, embrasé, un tableau
    de Cimabue
Quand par devant
Les hommes sont

Longs
Noirs
Tristes
Et fument, cheminées d'usine

Octobre 1913.

4.

I. PORTRAIT

Il dort
Il est éveillé
Tout à coup, il peint
Il prend une église et peint avec une église
Il prend une vache et peint avec une vache
Avec une sardine
Avec des têtes, des mains, des couteaux
Il peint avec un nerf de bœuf
Il peint avec toutes les sales passions d'une petite ville
    juive
Avec toute la sexualité exacerbée de la province
    russe
Pour la France
Sans sensualité
Il peint avec ses cuisses
Il a les yeux au cul
Et c'est tout à coup votre portrait
C'est toi lecteur
C'est moi
C'est lui

C'est sa fiancée
C'est l'épicier du coin
La vachère
La sage-femme
Il y a des baquets de sang
On y lave les nouveau-nés
Des ciels de folie
Bouches de modernité
La Tour en tire-bouchon
Des mains
Le Christ
Le Christ c'est lui
Il a passé son enfance sur la Croix
Il se suicide tous les jours
Tout à coup, il ne peint plus
Il était éveillé
Il dort maintenant
Il s'étrangle avec sa cravate
Chagall est étonné de vivre encore

II. ATELIER

La Ruche
Escaliers, portes, escaliers
Et sa porte s'ouvre comme un journal
Couverte de cartes de visite
Puis elle se ferme.
Désordre, on est en plein désordre
Des photographies de Léger, des photographies de
    Tobeen, qu'on ne voit pas
Et au dos

Au dos
Des œuvres frénétiques
Esquisses, dessins, des œuvres frénétiques
Et des tableaux...
Bouteilles vides
Nous garantissons la pureté absolue de notre sauce
    tomate,
Dit une étiquette
La fenêtre est un almanach
Quand les grues gigantesques des éclairs vident les
    péniches du ciel à grand fracas et déversent des bannes
    de tonnerre
Il en tombe
Pêle-mêle

Des cosaques le Christ un soleil en décomposition
Des toits
Des somnambules des chèvres
Un lycanthrope
Pétrus Borel
La folie l'hiver
Un génie fendu comme une pêche
Lautréamont
Chagall
Pauvre gosse auprès de ma femme
Délectation morose
Les souliers sont éculés
Une vieille marmite pleine de chocolat
Une lampe qui se dédouble
Et mon ivresse quand je lui rends visite
Des bouteilles vides
Des bouteilles
Zina

(Nous avons parlé d'elle)
Chagall
Chagall
Dans les échelles de la lumière

Octobre 1913.

5. MA DANSE

Platon n'accorde pas droit de cité au poète
Juif errant
Don Juan métaphysique
Les amis, les proches
Tu n'as plus de coutumes et pas encore d'habitudes
Il faut échapper à la tyrannie des revues
Littérature
Vie pauvre
Orgueil déplacé
Masque
La femme, la danse que Nietzsche a voulu nous apprendre
    à danser
La femme
Mais l'ironie?

Va-et-vient continuel
Vagabondage spécial
Tous les hommes, tous les pays
C'est ainsi que tu n'es plus à charge
Tu ne te fais plus sentir...

Je suis un monsieur qui en des express fabuleux traverse
   les toujours mêmes Europes et regarde découragé par
   la portière
Le paysage ne m'intéresse plus
Mais la danse du paysage
La danse du paysage
Danse-paysage
Paritatitata
Je tout-tourne

Février 1914.

6. SUR LA ROBE
ELLE A UN CORPS

Le corps de la femme est aussi bosselé que mon crâne
Glorieuse
Si tu t'incarnes avec esprit
Les couturiers font un sot métier
Autant que la phrénologie
Mes yeux sont des kilos qui pèsent le sensualité des
    femmes
Tout ce qui fuit, saille avance dans la profondeur
Les étoiles creusent le ciel
Les couleurs déshabillent
« Sur la robe elle a un corps »
Sous les bras des bruyères mains lunules et pistils quand
    les eaux se déversent dans le dos avec les omoplates
    glauques
Le ventre un disque qui bouge
La double coque des seins passe sous le pont des arcs-
    en-ciel
Ventre
Disque
Soleil

Les cris perpendiculaires des couleurs tombent sur les
    cuisses

ÉPÉE DE SAINT MICHEL

Il y a des mains qui se tendent
Il y a dans la traîne la bête tous les yeux toutes les fan-
    fares tous les habitués du bal Bullier
Et sur la hanche
La signature du poète

Février 1914.

7. HAMAC

Onoto-visage
Cadran compliqué de la Gare Saint-Lazare
Apollinaire
Avance, retarde, s'arrête parfois.
Européen
Voyageur occidental
Pourquoi ne m'accompagnes-tu pas en Amérique?
J'ai pleuré au débarcadère
New-York

Les vaisseaux secouent la vaisselle
Rome Prague Londres Nice Paris
Oxo-Liebig fait frise dans ta chambre
Les livres en estacade

Les tromblons tirent à noix de coco
Julie ou j'ai perdu ma rose

Futuriste

Tu as longtemps écrit à l'ombre d'un tableau
A l'Arabesque tu songeais

O toi le plus heureux de nous tous
Car Rousseau a fait ton portrait
Aux étoiles
Les œillets du poète *Sweet Williams*

Apollinaire
1900-1911
Durant 12 ans seul poète de France

Décembre 1913.

8. MARDI-GRAS

Les gratte-ciel s'écartèlent
J'ai trouvé tout au fond Canudo non rogné
Pour cinq sous
Chez un bouquiniste de la 14e rue
Religieusement
Ton improvisation sur la IXe Symphonie de Beethoven
On voit New-York comme la Venise mercantile de
   l'océan occidental

La Croix s'ouvre
Danse
Il n'y a pas de commune
Il n'y a pas d'aréopage
Il n'y a pas de pyramide spirituelle
Je ne comprends pas très bien le mot « Impérialisme »
Mais dans ton grenier
Parmi les ouistitis les Indiens les belles dames
Le poète est venu
Verbe coloré

Il y a des heures qui sonnent
Montjoie!

L'olifant de Roland
Mon taudis de New York
Les livres
Les messages télégraphiques
Et le soleil t'apporte le beau corps d'aujourd'hui dans
   les coupures des journaux
Ces langes

Février 1914.

9. CRÉPITEMENTS

Les arcencielesques dissonances de la Tour dans sa
   télégraphie sans fil
Midi
Minuit
On se dit merde de tous les coins de l'univers

Étincelles
Jaune de chrome
On est en contact
De tous les côtés les transatlantiques s'approchent
S'éloignent
Toutes les montres sont mises à l'heure
Et les cloches sonnent
Paris-Midi annonce qu'un professeur allemand a été
   mangé par les cannibales au Congo
C'est bien fait
L'Intransigeant ce soir publie des vers pour cartes postales
C'est idiot quand tous les astrologues cambriolent les
   étoiles
On n'y voit plus
J'interroge le ciel
L'Institut Météorologique annonce du mauvais temps

Il n'y a pas de futurisme
Il n'y a pas de simultanéité
Bodin a brûlé toutes les sorcières
Il n'y a rien
Il n'y a plus d'horoscopes et il faut travailler
Je suis inquiet
L'Esprit
Je vais partir en voyage
Et j'envoie ce poème dépouillé à mon ami R...

Septembre 1913.

10. DERNIÈRE HEURE

OKLAHOMA, *20 janvier 1914*
Trois forçats se procurent des revolvers
Ils tuent leur geôlier et s'emparent des clefs de la prison
Ils se précipitent hors de leurs cellules et tuent quatre
    gardiens dans la cour
Puis ils s'emparent de la jeune sténo-dactylographe de
    la prison
Et montent dans une voiture qui les attendait à la porte
Ils partent à toute vitesse
Pendant que les gardiens déchargent leurs revolvers
    dans la direction des fugitifs

Quelques gardiens sautent à cheval et se lancent à la
    poursuite des forçats
Des deux côtés des coups de feu sont échangés
La jeune fille est blessée d'un coup de feu tiré par un
    des gardiens

Une balle frappe à mort le cheval qui emportait la voiture
Les gardiens peuvent approcher
Ils trouvent les forçats morts le corps criblé de balles

Mr. Thomas, ancien membre du Congrès qui visitait
  la prison
Félicite la jeune fille

Télégramme-poème copié dans *Paris-Midi*

Janvier 1914.

11. BOMBAY-EXPRESS

La vie que j'ai menée
M'empêche de me suicider
Tout bondit
Les femmes roulent sous les roues
Avec de grands cris
Les tape-cul en éventail sont à la porte des gares.
J'ai de la musique sous les ongles.

Je n'ai jamais aimé Mascagni
Ni l'art ni les Artistes
Ni les barrières ni les ponts
Ni les trombones ni les pistons
Je ne sais plus rien
Je ne comprends plus...
Cette caresse
Que la carte géographique en frissonne

Cette année ou l'année prochaine
La critique d'art est aussi imbécile que l'espéranto
Brindisi
Au revoir au revoir

Je suis né dans cette ville
Et mon fils également
Lui dont le front est comme le vagin de sa mère
Il y a des pensées qui font sursauter les autobus
Je ne lis plus les livres qui ne se trouvent que dans les
   bibliothèques
Bel A B C du monde

Bon voyage!

Que je t'emporte
Toi qui ris du vermillon

Avril 1914.

12. F.I.A.T.

J'ai l'ouïe déchirée

J'envie ton repos
Grand paquebot des usines
A l'ancre
Dans la banlieue des villes

Je voudrais m'être vidé
Comme toi
Après ton accouchement
Les pneumatiques vessent dans mon dos
J'ai des pommettes électriques au bout des nerfs

Ta chambre blanche moderne nickelée
Le berceau
Les rares bruits de l'hôpital
Sainte-Clothilde
Je suis toujours en fièvre
Paris-Adresses

Être à ta place
Tournant brusque!

C'est la première fois que j'envie une femme
Que je voudrais être femme
Être femme
Dans l'univers
Dans la vie
Être
Et s'ouvrir à l'avenir enfantin
Moi qui suis ébloui

Phares Blériot
Mise en marche automatique
Vois

Mon stylo caracole

Caltez!

Avril 1914.

13. AUX 5 COINS

Oser et faire du bruit
Tout est couleur mouvement explosion lumière
La vie fleurit aux fenêtres du soleil
Qui se fond dans ma bouche
Je suis mûr
Et je tombe translucide dans la rue

Tu parles, mon vieux

Je ne sais pas ouvrir les yeux?
Bouche d'or
La poésie est en jeu

Février 1914.

14. NATURES MORTES
pour Roger de la Fresnaye

Vert
Le gros trot des artilleurs passe sur la géométrie
Je me dépouille
Je ne serais bientôt qu'en acier
Sans l'équerre de la lumière
Jaune
Clairon de modernité
Le classeur américain
Est aussi sec et
Frais
Que vertes les campagnes premières
Normandie
Et la table de l'architecte
Est ainsi strictement belle
Noir
Avec une bouteille d'encre de Chine
Et des chemises bleues
Bleu
Rouge
Puis il y a aussi un litre, un litre de sensualité
Et cette haute nouveauté
Blanc
Des feuilles de papier blanc

Avril 1914.

15. FANTOMAS

Tu as étudié le grand-siècle dans l'*Histoire de la Marine
      française* par Eugène
Sue
*Paris au Dépôt de la Librairie, 1835,
4 vol. in-16 jésus*
Fine fleur des pois du catholicisme pur
Moraliste
Plutarque
Le simultanéisme est passéiste

Tu m'as mené au Cap chez le père Moche au Mexique
Et tu m'as ramené à Saint-Pétersbourg où j'avais déjà été
C'est bien par là
On tourne à droite pour aller prendre le tramway
Ton argot est vivant ainsi que la niaiserie sentimentale
      de ton cœur qui beugle
Alma mater Humanité Vache
Mais tout ce qui est machinerie mise en scène changement
      de décors etc. etc.
Est directement plagié de Homère, ce Châtelet

Il y a aussi une jolie page
  « ... vous vous imaginiez monsieur Barzum, que j'allais
  « tranquillement vous permettre de ruiner mes projets,
  « de livrer ma fille à la justice, vous aviez pensé cela?...
  « allons! sous votre apparence d'homme intelligent, vous
  « n'étiez qu'un imbécile... »
Et ce n'est pas mon moindre mérite que de citer le
    roi des voleurs
Vol. 21, le Train perdu, p. 367.

Nous avons encore beaucoup de traits communs
J'ai été en prison
J'ai dépensé des fortunes mal acquises
Je connais plus de 120.000 timbres-poste tous différents
    et plus joyeux que les N° N° du Louvre
Et
Comme toi
Héraldiste industriel
J'ai étudié les marques de fabrique enregistrées à l'Office
    international des Patentes internationales

Il y a encore de jolis coups à faire
Tous les matins de 9 à 11

                             Mars 1914.

16. TITRES

Formes sueurs chevelures
Le bond d'être
Dépouillé
Premier poème sans métaphores
Sans images
Nouvelles
L'esprit nouveau
Les accidents des féeries
400 fenêtres ouvertes
L'hélice des gemmes des foires des menstrues
Le cône rabougri
Les déménagements à genoux
Dans les dragues
A travers l'accordéon du ciel et des voix télescopées
Quand le journal fermente comme un éclair claquemuré
Manchette

Juillet 1914.

17. MEE TOO BUGGI

Comme chez les Grecs on croit que tout homme bien
    élevé doit savoir pincer la lyre
Donne-moi le fango-fango
Que je l'applique à mon nez
Un son doux et grave
De la narine droite
Il y a la description des paysages
Le récit des événements passés
Une relation des contrées lointaines
Bolotoo
Papalangi
Le poète entre autres choses fait la description des
    animaux
Les maisons sont renversées par d'énormes oiseaux
Les femmes sont trop habillées
Rimes et mesures dépourvues
Si l'on fait grâce à un peu d'exagération
L'homme qui se coupa lui-même la jambe réussissait
    dans le genre simple et gai
Mee low folla
Mariwagi bat le tambour à l'entrée de sa maison

Juillet 1914.

18. LA TÊTE

La guillotine est le chef-d'œuvre de l'art plastique
Son déclic
Crée le mouvement perpétuel
Tout le monde connaît l'œuf de Christophe Colomb
Qui était un œuf plat, un œuf fixe, l'œuf d'un inventeur
La sculpture d'Archipenko est le premier œuf ovoïdal
Maintenu en équilibre intense
Comme une toupie immobile
Sur sa pointe animée
Vitesse
Il se dépouille
Des ondes multicolores
Des zones de couleur
Et tourne dans la profondeur
Nu.
Neuf.
Total.

Juillet 1914.

19. CONSTRUCTION

De la couleur, de la couleur et des couleurs...
Voici Léger qui grandit comme le soleil de l'époque
    tertiaire
Et qui durcit
Et qui fixe
La nature morte
La croûte terrestre
Le liquide
Le brumeux
Tout ce qui se ternit
La géométrie nuageuse
Le fil à plomb qui se résorbe
Ossification.
Locomotion.
Tout grouille
L'esprit s'anime soudain et s'habille à son tour comme
    les animaux et les plantes
Prodigieusement
Et voici
La peinture devient cette chose énorme qui bouge
La roue
La vie

La machine
L'âme humaine
Une culasse de 75
Mon portrait

Février 1919.

NOTULE D'HISTOIRE LITTÉRAIRE
(1912-1914)

Nés à l'occasion d'une rencontre, d'une amitié, d'un tableau, d'une polémique ou d'une lecture, les quelques poèmes qui précèdent appartiennent au genre si décrié des poèmes de circonstance. A l'exception de deux ou trois d'entre eux, ils ont été publiés par des revues étrangères; le Mercure France, Vers et Prose, Les Soirées de Paris et Poème et Drame, c'est-à-dire les aînés, les poètes déjà classés et la soi-disant avant-garde refusaient ma collaboration. C'est qu'à ce moment-là, il ne faisait pas bon, en France, d'être un jeune authentique parmi « les jeunes ».

B. C.

La guerre au Luxembourg

Ces ENFANTINES
sont dédiées à mes
camarades de la
Légion Étrangère
Mieczyslaw KOHN, *Polonais,*
tué à Frise ;
Victor CHAPMAN, *Américain,*
tué à Verdun ;
Xavier de CARVALHO, *Portugais,*
tué à la ferme de Navarin ;
Engagés volontaires

MORTS
POUR LA FRANCE.

BLAISE CENDRARS
MCMXVI

« Une deux une deux
Et tout ira bien... »
Ils chantaient
Un blessé battait la mesure avec sa béquille
Sous le bandeau son œil
Le sourire du Luxembourg
Et les fumées des usines de munitions
Au-dessus des frondaisons d'or
Pâle automne fin d'été
On ne peut rien oublier
Il n'y a que les petits enfants qui jouent à la guerre
La Somme Verdun
Mon grand frère est aux Dardanelles
Comme c'est beau
Un fusil   MOI!
Cris voix flûtées
Cris   MOI!
Les mains se tendent
Je ressemble à papa
On a aussi des canons
Une fillette fait le cycliste   MOI!

Un dada caracole
Dans le bassin les flottilles s'entre-croisent
Le méridien de Paris est dans le jet d'eau
On part à l'assaut du garde qui seul a un sabre authen-
   tique
Et on le tue à force de rire
Sur les palmiers encaissés le soleil pend
Médaille Militaire
On applaudit le dirigeable qui passe du côté de la Tour
   Eiffel
Puis on relève les morts
Tout le monde veut en être
Ou tout au moins blessé   ROUGE
Coupe coupe
Coupe le bras coupe la tête   BLANC
On donne tout
Croix-Rouge   BLEU
Les infirmières ont 6 ans
Leur cœur est plein d'émotion
On enlève les yeux aux poupées pour réparer les aveugles
J'y vois! j'y vois!
Ceux qui faisaient les Turcs sont maintenant brancardiers
Et ceux qui faisaient les morts ressuscitent pour assister
   à la merveilleuse opération
A présent on consulte les journaux illustrés
Les photographies
Les photographies
On se souvient de ce que l'on a vu au cinéma
Ça devient plus sérieux
On crie et l'on cogne mieux que Guignol
Et au plus fort de la mêlée
Chaud chaudes
Tout le monde se sauve pour aller manger les gaufres

Elles sont prêtes.
Il est cinq heures.
Les grilles se ferment.
On rentre.
Il fait soir.
On attend le zeppelin qui ne vient pas
Las
Les yeux aux fusées des étoiles
Tandis que les bonnes vous tirent par la main
Et que les mamans trébuchent sur les grandes automo-
    biles d'ombre

R
Ê
V
E
U
R
S

Le lendemain ou un autre jour
Il y a une tranchée dans le tas de sable
Il y a un petit bois dans le tas de sable
Des villes
Une maison
Tout le pays   La Mer
Et peut-être bien la mer
L'artillerie improvisée tourne autour des barbelés ima-
    ginaires
Un cerf-volant rapide comme un avion de chasse
Les arbres se dégonflent et les feuilles tombent par-dessus
    bord et tournent en parachute
Les 3 veines du drapeau se gonflent à chaque coup de
    l'obusier du vent
Tu ne seras pas emportée petite arche de sable
Enfants prodiges, plus que les ingénieurs
On joue en riant au tank aux gaz-asphyxiants au sous-
    marin-devant-new-york-qui-ne-peut-pas-passer
Je suis Australien, tu es nègre, il se lave pour faire
    la-vie-des-soldats-anglais-en-belgique

Casquette russe

1 Légion d'honneur en chocolat vaut 3 boutons d'uniforme

Voilà le général qui passe

Une petite fille dit :

J'aime beaucoup ma nouvelle maman américaine

Et un petit garçon : — Non pas Jules Verne mais achète-
moi encore le beau communiqué du dimanche

A PARIS

Le jour de la Victoire quand les soldats reviendront...

Tout le monde voudra LES voir

Le soleil ouvrira de bonne heure comme un marchand
de nougat un jour de fête

Il fera printemps au Bois de Boulogne ou du côté de
Meudon

Toutes les automobiles seront parfumées et les pauvres
chevaux mangeront des fleurs

Aux fenêtres les petites orphelines de la guerre auront
toutes une belle robe patriotique

Sur les marronniers des boulevards les photographes à
califourchon braqueront leur œil à déclic

On fera cercle autour de l'opérateur du cinéma qui mieux
qu'un mangeur de serpents engloutira le cortège
historique

Dans l'après-midi

Les blessés accrocheront leurs Médailles à l'Arc-de-
Triomphe et rentreront à la maison sans boiter

Puis

Le soir

La place de l'Étoile montera au ciel

Le Dôme des Invalides chantera sur Paris comme une
immense cloche d'or

Et les mille voix des journaux acclameront *la Marseillaise*
Femme de France

Paris, octobre 1916.

Sonnets dénaturés

OPOETIC

quels crimes ne
cOmmet-On pas
en tOn nOm!

à Jean COctO

Il y avait une fOis des pOètes qui parlaient la bOuche en rOnd
ROnds de saucissOn ses beaux yeux et fumée
Les cheveux d'Ophélie Ou celle parfumée
D'Orphée
Tu rOtes des rOnds de chapeau pOur trOuver une rime en *èe-
aiguë* cOmme des dents qui grignOteraient tes vers
BOuche *bée*
Puisque tu fumes pOurquoi ne répètes-tu *fumée*
C'est trOp facile Ou c'est trOp difficile
Les 7 PiOns et les Dames sOnt là pOur les virgules
Oh POE sie
Ah! Oh!
CacaO

Puisque tu prends le tram pOurquOi n'écris-tu pas tram*wée*
VOis la grimace écrite de ce mOt bien franc*ée*
Le clOwn anglais la fait avec ses jambes
COmme l'AmOur l'Arétin
L'Esprit jalOuse l'affiche du cirque et les pOstures alphabétiques
de l'hOmme-serpent
Où sOnt les pOètes qui parlent la bOuche en rOnd?

Il faut leur assOuplir les

s.

z   enfant

h

POESIE

Nov. 16.

119

ACADÉMIE MÉDRANO

A Conrad Moricand.

Danse avec ta langue, Poète, fais un entrechat
Un tour de piste
     sur un tout petit basset
         noir ou haquenée
Mesure les beaux vers mesurés et fixe les formes fixes
Que sont *LES BELLES LETTRES* apprises
Regarde :

    Les affiches se fichent de toi te
       mordent avec leurs dents
       en couleur entre les doigts
       de pied
La fille du directeur a des lumières électriques
Les jongleurs sont aussi les trapézistes
      xuellirép tuaS
   teuof ed puoC
aç-emirpxE
Le clown est dans le tonneau malaxé
      ⎧ passe à la caisse
Il faut que ta langue ⎨   les soirs où
      ⎩ fasse l'orchestre
Les **Billets de faveur** sont supprimés.

         Novembre 1916.

LE MUSICKISSME

A Erik Satie.

Que nous chaut Venizelos
Seul Raymond   mettons Duncan
    trousse encore la défroque grecque
Musique aux oreilles végétales
Autant qu'éléphantiaques
Les poissons crient dans le gulf-
    stream
Bidon juteux plus que figue
Et la voix basque du microphone
    marin
Duo de music-hall
Sur accompagnement d'auto
Gong
Le phoque musicien
50 mesures de do-ré do-ré do-ré do-ré
    do-ré do-ré do-ré do-ré do-ré do-ré
    do-ré do-ré do-ré
Ça y est!
Et un accord diminué en la bémol
    mineur
                    ETC.!
Quand c'est beau un beau joujou
    bruiteur danse la sonnette

Entr'acte
A la rentrée
Thème : CHARLOT chef d'orchestre bat la
mesure
Devant
L'européen chapeauté et sa femme
en corset
Contrepoint : Danse
Devant l'européen ahuri et sa femme
Coda : Chante
Ce qu'il fallait démontrer

Novembre 1916.

Poèmes nègres

CONTINENT NOIR

Afrique
Strabon la jugeait si peu considérable
Grigris d'un usage général
C'est par les femmes que se compte la descendance mâle
    et que se fait tout le travail
Un père un jour imagina de vendre son fils; celui-ci
    le prévint en le vendant lui-même.
Ce peuple est adonné au vol
Tout ce qui frappe ses yeux excite sa cupidité
Ils saisissent tout avec le gros orteil et pliant les genoux
    enfouissent tout sous leur pagne
Ils étaient soumis à des chefs qui avaient l'autorité et
    qui comptaient parmi leurs droits celui d'avoir la
    première nuit de noces de toutes les vierges qui se
    marient
Ils ne s'embarrassaient pas de celle des veuves,
Ajoute le vieil auteur.
L'île merveilleuse de Saint-Borandion où le hasard a
    conduit quelques voyageurs
On dit qu'elle paraît et disparaît de temps en temps.
Mes forêts de Madère brûlent sept ans.
Mumbo-Jumbo idole des Madingos
Côte-d'Or

Le Gouverneur de Guina a une dispute avec les nègres
Manquant de boulets il charge ses canons avec de l'or
Toto Papo
Ce n'est que l'intérêt qui leur fait souffrir l'étranger
Le commerce des Européens sur cette côte et leur liber-
    tinage ont fait une nouvelle race d'hommes qui est
    peut-être la plus méchante de toutes
Et ils sont de neuf espèces
Le sacata, le griffe, le marabout, le mulâtre, le quarteron,
    le métis, le mamelone, le quarteronné, le sang-mêlé
Heureuse la Bossum consacrée à l'idole domestique

1916.

LES GRANDS FÉTICHES

I

Une gangue de bois dur
Deux bras d'embryon
L'homme déchire son ventre
Et adore son membre dressé

II

Qui menaces-tu
Toi qui t'en vas
Poings sur les hanches
A peine d'aplomb
Juste hors de grossir?

III

Nœud de bois
Tête en forme de gland
Dur et réfractaire

Visage dépouillé
Jeune dieu insexué et cyniquement hilare

IV

L'envie t'a rongé le menton
La convoitise te pipe
Tu te dresses
Ce qui te manque du visage
Te rend géométrique
Arborescent
Adolescent

V

Voici l'homme et la femme
Également laids également nus
Lui moins gras qu'elle mais plus fort
Les mains sur le ventre et la bouche en tire-lire

VI

Elle
Le pain de son sexe qu'elle fait cuire trois fois par jour
Et la pleine outre du ventre
Tirent
Sur le cou et les épaules

VII

Je suis laid!
Dans ma solitude à force de renifler l'odeur des filles
Ma tête enfle et mon nez va bientôt tomber

VIII

J'ai voulu fuir les femmes du chef
J'ai eu la tête fracassée par la pierre du soleil
Dans le sable
Il ne reste plus que ma bouche
Ouverte comme le vagin de ma mère
Et qui crie

IX

Lui
Chauve
N'a qu'une bouche
Un membre qui descend aux genoux
Et les pieds coupés

X

Voici la femme que j'aime le plus
Deux rides aiguës autour d'une bouche en entonnoir
Un front bleu
Du blanc sur les tempes
Et le regard astiqué comme un cuivre

British Museum,
Londres, février 1916.

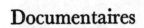

Documentaires

DOCUMENT

Au moment de mettre sous presse le présent volume, nous recevons des Éditions Stock une lettre dont nous extrayons le passage suivant :

« Paris, le 25 mars 1943... A la parution de *Kodak* de Blaise Cendrars nous avons reçu un « papier timbré » de la maison américaine « Kodak C⁰ » qui nous expliquait que nous avions sans droit pris comme titre d'un de nos ouvrages le nom de sa firme. Sur notre objection que ce nom était celui d'un objet courant dans le commerce, que d'ailleurs cela ne pouvait lui faire que de la publicité, elle nous a répondu par une consultation d'après laquelle elle est propriétaire du nom « Kodak » et que l'emploi à tort et à travers de ce mot, loin de lui servir de publicité, lui nuisait au contraire en l'écartant des emplois précis de produits vendus par sa firme.

« Il n'y avait qu'à s'incliner mais la « Kodak C⁰ » a été assez aimable pour ne pas exiger le retrait du livre en librairie. Elle nous a demandé seulement l'engagement qu'en cas de réimpression le titre serait changé. Nous en faisons donc une condition expresse de notre cession. Vous pourrez, bien entendu, mentionner le titre *Kodak* à titre bibliographique, comme nous vous le demandons ci-dessus, mais le titre général des morceaux publiés par vous dans votre volume devra être changé. »

A la réception de cette lettre j'avais bien pensé débaptiser mes poèmes et intituler « Kodak » par exemple « Pathé-Baby », mais j'ai craint que la puissante « Kodak C⁰ Ltd », au capital de je ne sais combien de millions de dollars, m'accuse cette fois-ci de concurrence déloyale. Pauvres poètes, travaillons. Qu'importe un titre. La poésie n'est pas dans un titre mais dans un fait, et comme en fait ces poèmes, que j'ai conçus comme des photographies verbales, forment un documentaire, je les intitulerai dorénavant *Documentaires*. Leur ancien sous-titre. C'est peut-être aujourd'hui un genre nouveau.

B. C.

NOTE DE L'ÉDITEUR

On n'ignore plus aujourd'hui, grâce aux recherches de Francis Lacassin, guidé par les confidences à peine voilées de L'Homme foudroyé (cf. Rhapsodie gitane. 1. Le fouet) que Documentaires a été « découpé » et « monté » comme un court-métrage poétique — à partir des phrases tirées du Mystérieux docteur Cornélius de Gustave Lerouge. Si Cendrars nous donne les raisons de son amicale supercherie, il n'en demeure pas moins que son intervention a été ici capitale. Les « photographies verbales » ne doivent, finalement, guère plus à Lerouge que les collages de Max Ernst aux dessinateurs des magazines populaires.

...j'eus la cruauté d'apporter à Lerouge un volume de poèmes et de lui faire constater de visu, en le lui faisant lire, une vingtaine de poèmes originaux que j'avais taillés à coups de ciseaux dans l'un de ses ouvrages en prose et que j'avais publiés sous mon nom! C'était du culot. Mais j'avais dû avoir recours à ce subterfuge qui touchait à l'indélicatesse — et au risque de perdre son amitié — pour lui faire admettre, malgré et contre tout ce qu'il pouvait avancer en s'en défendant, que, lui aussi était poète, sinon cet entêté n'en eût jamais convenu.

(Avis aux chercheurs et aux curieux! Pour l'instant je ne puis en dire davantage pour ne pas faire école et à cause de l'éditeur qui serait mortifié d'apprendre avoir publié à son insu ma supercherie poétique.)

Cependant que je riais, j'entraînai l'ami Lerouge boire « mes » droits d'auteur chez « *Francis* », place de l'Alma, près de chez moi, chacun un magnum de champagne, du bon.

Mais durant toute la soirée Lerouge resta rêveur...

C'était bien son tour!

Je l'avais sacré poète, lui, le timide handicapé.

Il n'en revenait pas.

WEST

1. ROOF-GARDEN

Pendant des semaines les ascenseurs ont hissé hissé des
    caisses des caisses de terre végétale
Enfin
A force d'argent et de patience
Des bosquets s'épanouissent
Des pelouses d'un vert tendre
Une source vive jaillit entre les rhododendrons et les
    camélias
Au sommet de l'édifice l'édifice de briques et d'acier
Le soir
Les waiters graves comme des diplomates vêtus de
    blanc se penchent sur le gouffre de la ville
Et les massifs s'éclairent d'un million de petite lampes
    versicolores
Je crois Madame murmura le jeune homme d'une voix
    vibrante de passion contenue
Je crois que nous serons admirablement ici
Et d'un large geste il montrait la large mer
Le va-et-vient
Les fanaux des navires géants

La géante statue de la Liberté
Et l'énorme panorama de la ville coupée de ténèbres
    perpendiculaires et de lumières crues

Le vieux savant et les deux milliardaires sont seuls sur
    la terrasse
Magnifique jardin
Massifs de fleurs
Ciel étoilé
Les trois vieillards demeurent silencieux prêtent l'oreille
    au bruit des rires et des voix joyeuses qui montent
    des fenêtres illuminées
Et à la chanson murmurée de la mer qui s'enchaîne au
    gramophone

II. SUR L'HUDSON

Le canot électrique glisse sans bruit entre les nombreux
    navires ancrés dans l'immense estuaire et qui battent
    pavillon de toutes les nations du monde
Les grands clippers chargés de bois et venus du Canada
    ferlaient leurs voiles géantes
Les paquebots de fer lançaient des torrents de fumée
    noire
Un peuple de dockers appartenant à toutes les races du
    globe s'affairait dans le tapage des sirènes à vapeur
    et les sifflets des usines et des trains
L'élégante embarcation est entièrement en bois de teck
Au centre se dresse une sorte de cabine assez semblable
    à celle des gondoles vénitiennes

III. AMPHITRYON

Après le dîner servi dans les jardins d'hiver au milieu
    des massifs de citronniers de jasmins d'orchidées
Il y a bal sur la pelouse du parc illuminé
Mais la principale attraction sont les cadeaux envoyés
    à Miss Isadora
On remarque surtout un rubis « sang de pigeon » dont
    la grosseur et l'éclat sont incomparables
Aucune des jeunes filles présentes n'en possède un qui
    puisse lui être comparé
Élégamment vêtus
D'habiles détectives mêlés à la foule des invités veillent
    sur cette gemme et la protègent.

IV. OFFICE

Radiateurs et ventilateurs à air liquide
Douze téléphones et cinq postes de T.S.F.
D'admirables classeurs électriques contiennent les
    myriades de dossiers industriels et scientifiques sur
    les affaires les plus variées
Le milliardaire ne se sent vraiment chez lui que dans
    ce cabinet de travail
Les larges verrières donnent sur le parc et la ville
Le soir les lampes à vapeur de mercure y répandent
    une douce lueur azurée
C'est de là que partent les ordres de vente et d'achat
    qui culbutent parfois les cours de Bourse dans le
    monde entier

V. JEUNE FILLE

Légère robe en crêpe de Chine
La jeune fille
Élégance et richesse
Cheveux d'un blond fauve où brille un rang de perles
Physionomie régulière et calme qui reflète la franchise
    et la bonté
Ses grands yeux d'un bleu de mer presque vert sont
    clairs et hardis
Elle a ce teint frais et velouté d'une roseur spéciale qui
    semble l'apanage des jeunes filles américaines

VI. JEUNE HOMME

C'est le Brummel de la Fifth Avenue
Cravate en toile d'or semée de fleurettes de diamants
Complet en étoffe métallique rose et violet
Bottine en véritable peau de requin et dont chaque
    bouton est une petite perle noire
Il exhibe un pyjama en flanelle d'amiante un autre complet
    en étoffe de verre un gilet en peau de crocodile
Son valet de chambre savonne ses pièces d'or
Il n'a jamais en portefeuille que des banknotes neuves
    et parfumées

VII. TRAVAIL

Des malfaiteurs viennent de faire sauter le pont de
    l'estacade
Les wagons ont pris feu au fond de la vallée

Des blessés nagent dans l'eau bouillante que lâche la
  locomotive éventrée
Des torches vivantes courent parmi les décombres et les
  jets de vapeur
D'autres wagons sont restés suspendus à 60 mètres de
  hauteur
Des hommes armés de torches électriques et à l'acé-
  tylène descendent le sentier de la vallée
Et les secours s'organisent avec une silencieuse rapidité
Sous le couvert des joncs des roseaux des saules les
  oiseaux aquatiques font un joli remue-ménage
L'aube tarde à venir
Que déjà une équipe de cent charpentiers appelés par
  télégraphe et venus par train spécial s'occupent à
  reconstruire le pont
Pan pan-pan
Passe-moi les clous

VIII. TRESTLE-WORK

Rencontre-t-on un cours d'eau ou une vallée profonde
On la passe sur un pont de bois en attendant que les
  recettes de la compagnie permettent d'en construire
  un en pierre ou en fer
Les charpentiers américains n'ont pas de rivaux dans
  l'art de construire ces ponts
On commence par poser un lit de pierres dures
Puis on dresse un premier chevalet
Lequel en supporte un second puis un troisième puis
  un quatrième
Autant qu'il en faut pour atteindre le niveau de la rive
Sur le dernier chevalet deux poutres

Sur les deux poutres deux rails
Ces constructions audacieuses ne sont renforcées ni
    par des croix de St. André ni par des fers en T
Elles ne tiennent que par quelques poutrelles et quelques
    chevilles qui maintiennent l'écartement des chevalets
Et c'est un tout
C'est un pont
C'est un beau pont

IX. LES MILLE ILES

En cet endroit le paysage est un des plus beaux qui se
    trouvent en Amérique du Nord
La nappe immense du lac est d'un bleu presque blanc
Des centaines et des centaines de petites îles verdoyantes
    flottent sur la calme surface des eaux limpides
Les délicieux cottages construits en briques de couleurs
    vives donnent à ce paysage l'aspect d'un royaume
    enchanté
Des luxueux canots d'érable d'acajou élégamment
    pavoisés et couverts de tentes multicolores vont et
    viennent d'une île à l'autre
Toute idée de fatigue de labeur de misère est absente
    de ce décor gracieux pour milliardaires

Le soleil disparaît à l'horizon du lac Ontario
Les nuages baignent leurs plis dans des cuves de pourpre
    violette d'écarlate et d'orangé
Quel beau soir murmurent Andrée et Frédérique assises
    sur la terrasse d'un château du moyen âge
Et les dix mille canots moteurs répondent à leur extase

X. LABORATOIRE

Visite des serres
Le thermo-siphon y maintient une température cons-
tante
La terre est saturée d'acide formique de manganèse
et d'autres substances qui impriment à la végétation
une puissance formidable
D'un jour à l'autre les feuilles poussent les fleurs éclosent
les fruits mûrissent
Les racines grâce à un dispositif ingénieux baignent
dans un courant électrique qui assure cette croissance
monstrueuse
Les canons paragrêle détruisent nimbus et cumulus
Nous rentrons en ville en traversant les landes
La matinée est radieuse
Les bruyères d'une sombre couleur de pourpre et les
genêts d'or ne sont pas encore défleuris
Les goélands et les mauves tracent de grands cercles
dans le bleu léger du ciel

FAR-WEST

I. CUCUMINGO

L'hacienda de San-Bernardino
Elle est bâtie au centre d'une verdoyante vallée arrosée
par une multitude de petits ruisseaux venus des mon-
tagnes circonvoisines
Les toits sont de tuiles rouges sous les ombrages des
sycomores et des lauriers

Les truites pullulent dans les ruisseaux
D'innombrables troupeaux paissent en liberté dans les
grasses prairies
Les vergers regorgent de fruits poires pommes raisins
ananas figues oranges
Et dans les potagers
Les légumes du vieux monde poussent à côté de ceux
des contrées tropicales

Le gibier abonde dans le canton
Le colin de Californie
Le lapin à queue de coton *cottontail*
Le lièvre aux longues oreilles *jackass*

La caille la tourterelle la perdrix
Le canard et l'oie sauvages
L'antilope
Il est vrai qu'on y rencontre encore le chat sauvage et
   le serpent à sonnettes *rattlesnake*
Mais il n'y a plus de puma aujourd'hui

II. DORYPHA

Les jours de fête
Quand les indiens et les vaqueros s'enivrent de whisky et
   de pulque
Dorypha danse
Au son de la guitare mexicaine
Habaneras si entraînantes
Qu'on vient de plusieurs lieues pour l'admirer

Aucune femme ne sait aussi bien qu'elle
Draper la mantille de soie
Et parer sa chevelure blonde
D'un ruban
D'un peigne
D'une fleur

III. L'OISEAU-MOQUEUR

La chaleur est accablante
Balcon ombragé de jasmin de Virginie et de chèvre-
   feuille pourpré
Dans le grand silence de la campagne sommeillante
On discerne

Le glou-glou des petits torrents
Le mugissement lointain des grands troupeaux de
    bœufs dans les pâturages
Le chant du rossignol
Le sifflement cristallin des crapauds géants
Le hululement des rapaces nocturnes
Et le cri de l'oiseau-moqueur dans les cactus

IV. VILLE-CHAMPIGNON

Vers la fin de l'année 1911 un groupe de financiers
    yankees décide la fondation d'une ville en plein Far-
    West au pied des Montagnes Rocheuses
Un mois ne s'est pas écoulé que la nouvelle cité encore
    sans aucune maison est déjà reliée par trois lignes
    au réseau ferré de l'Union
Les travailleurs accourent de toutes parts
Dès le deuxième mois trois églises sont édifiées et
    cinq théâtres en pleine exploitation
Autour d'une place où subsistent quelques beaux
    arbres une forêt de poutres métalliques bruit nuit et
    jour de la cadence des marteaux
Treuils
Halètement des machines
Les carcasses d'acier des maisons de trente étages
    commencent à s'aligner
Des parois de briques souvent de simples plaques
  . d'aluminium bouchent les interstices de la charpente
    de fer
On coule en quelques heures des édifices en béton armé
    selon le procédé Edison
Par une sorte de superstition on ne sait comment baptiser

la ville et un concours est ouvert avec une tombola
et des prix par le plus grand journal de la ville qui
cherche également un nom

V. CLUB

La rue bien qu'indiquée sur le plan officiel de la ville
    n'est encore constituée que par des clôtures de
    planches et des monceaux de gravats
On ne la franchit qu'en sautant au petit bonheur les
    flaques d'eau et les fondrières
Au bout du boulevard inachevé qu'éclairent de puissantes
    lampes à arc est le club des Haricots Noirs qui est
    aussi une agence matrimoniale
Coiffés d'un feutre de cow-boy ou d'une casquette à
    oreillettes
Le visage dur
Des hommes descendent de leur 60 chevaux qu'ils
    étrennent s'inscrivent consultent l'album des photo-
    graphies
Choisissent leur fiancée qui sur un câble s'embarquera
    à Cherbourg sur le *Kaiser Wilhelm* et arrivera à
    toute vapeur
Ce sont surtout des Allemandes
Un lad vêtu de noir chaussé de molleton d'une correction
    glaciale ouvre la porte et toise le nouveau venu d'un
    air soupçonneux
Je bois un cocktail au whisky puis un deuxième puis un
    troisième
Puis un mint-julep un milk-mother un prairy-oyster
    un night-cap

Quand on a franchi la porte vermoulue faite de planches
   arrachées à des caisses d'emballage et à laquelle des
   morceaux de cuir servent de gonds
On se trouve dans une salle basse
Enfumée
Odeur de poisson pourri
Relents de graisse rance avec affectation

Panoplies barbares
Couronnes de plumes d'aigle colliers de dents de puma
   ou de griffes d'ours
Arcs flèches tomahawks
Mocassins
Bracelets de graines et de verroteries
On voit encore
Des couteaux à scalper une ou deux carabines d'ancien
   modèle un pistolet à pierre des bois d'élan et de renne
   et toute une collection de petits sacs brodés pour
   mettre le tabac
Plus trois calumets très anciens formés d'une pierre
   tendre emmanchée d'un roseau

Éternellement penchée sur le foyer
La centenaire propriétaire de cet établissement se
   conserve comme un jambon et s'enfume et se couenne
   et se boucane comme sa pipe centenaire et le noir
   de sa bouche et le trou noir de son œil

VII. VILLE-DE-FRISCO

C'est une antique carcasse dévorée par la rouille
Vingt fois réparée la machine ne donne pas plus de 7 à
    8 nœuds à l'heure
D'ailleurs par économie on ne brûle que des escarbilles
    et des déchets de charbon
On hisse des voiles de fortune chaque fois que le vent
    est favorable
Avec sa face écarlate ses sourcils touffus son nez bour-
    geonnant master Hopkins est un véritable marin
Des petits anneaux d'argent percent ses oreilles
Ce navire est exclusivement chargé de cercueils de
    Chinois décédés en Amérique et qui ont désiré se
    faire enterrer dans la terre natale
Caisses oblongues coloriées de rouge ou de bleu clair
    ou couvertes d'inscriptions dorées
C'est là un genre de marchandise qu'il est interdit de
    transporter

VIII. VANCOUVER

Dix heures du soir viennent de sonner à peine distinctes
    dans l'épais brouillard qui ouate les docks et les
    navires du port
Les quais sont déserts et la ville livrée au sommeil
On longe une côte basse et sablonneuse où souffle un
    vent glacial et où viennent déferler les longues lames
    du Pacifique
Cette tache blafarde dans les ténèbres humides c'est
    la gare du Canadian du Grand Tronc
Et ces halos bleuâtres dans le vent sont les paquebots

en partance pour le Klondyke le Japon et les grandes
    Indes
Il fait si noir que je puis à peine déchiffrer les inscriptions
    des rues où je cherche avec une lourde valise un
    hôtel bon marché

Tout le monde est embarqué
Les rameurs se courbent sur leurs avirons et la lourde
    embarcation chargée jusqu'au bordage pousse entre
    les hautes vagues
Un petit bossu corrige de temps en temps la direction
    d'un coup de barre
Se guidant dans le brouillard sur les appels d'une sirène
On se cogne contre la masse sombre du navire et par
    la hanche tribord grimpent des chiens samoyèdes
Flasses dans le gris-blanc-jaune
Comme si l'on chargeait du brouillard

TERRES ALÉOUTIENNES

I

Hautes falaises contre les vents glacés du pôle
Au centre de fertiles prairies
Rennes élans bœufs musqués
Les renards bleus les castors
Ruisseaux poissonneux
Une plage basse a été aménagée pour l'élevage des
   phoques à fourrure
Sur le sommet de la falaise on recueille les nids de
   l'eider dont les plumes constituent une véritable
   richesse

II

Vastes et solides bâtiments qui abritent un nombre assez
   considérable de trafiquants
Tout autour d'un petit jardin où l'on a réuni tous les
   végétaux capables de résister aux rigueurs du climat
Sorbiers pins saules arctiques
Plates-bandes de bruyères et de plantes alpestres

III

Baie parsemée d'îlots rocheux
Par groupes de cinq ou six les phoques se chauffent au
soleil
Ou étendus sur le sable
Ils jouent entre eux avec cette espèce de cri guttural qui
ressemble à un aboiement
A côté de la hutte des Esquimaux il y a un hangar pour
la préparation des peaux

FLEUVE

MISSISSIPI

A cet endroit le fleuve est presque aussi large qu'un lac
Il roule des eaux jaunâtres et boueuses entre deux berges
marécageuses
Plantes aquatiques que continuent les acréages des
cotonniers
Çà et là apparaissent les villes et les villages tapis au fond
de quelque petite baie avec leurs usines avec leurs
hautes cheminées noires avec leurs longues estacades
qui s'avancent leurs longues estacades sur pilotis
qui s'avancent bien avant dans l'eau

Chaleur accablante
La cloche du bord sonne pour le lunch
Les passagers arborent des complets à carreaux des
cravates hurlantes des gilets rutilants comme les
cocktails incendiaires et les sauces corrosives

On aperçoit beaucoup de crocodiles
Les jeunes alertes et frétillants
Les gros le dos recouvert d'une mousse verdâtre se
laissent aller à la dérive

151

La végétation luxuriante annonce l'approche de la zone
  tropicale
Bambous géants palmiers tulipiers lauriers cèdres
Le fleuve lui-même a doublé de largeur
Il est tout parsemé d'îlots flottants d'où l'approche du
  bateau fait s'élever des nuées d'oiseaux aquatiques
Steam-boats voiliers chalands embarcations de toutes
  sortes et d'immenses trains de bois
Une vapeur jaune monte des eaux surchauffées du
  fleuve

C'est par centaines maintenant que les crocos s'ébattent
  autour de nous
On entend le claquement sec de leurs mâchoires et l'on
  distingue très bien leur petit œil féroce
Les passagers s'amusent à leur tirer dessus avec des
  carabines de précison
Quand un tireur émérite réussit ce tour de force de tuer
  ou de blesser une bête à mort
Ses congénères se précipitent sur elle la déchirent
Férocement
Avec des petits cris assez semblables au vagissement
  d'un nouveau-né

LE SUD

I. TAMPA

Le train vient de faire halte
Deux voyageurs seulement descendent par cette matinée
    brûlante de fin d'été
Tous deux sont vêtus de complets couleur kaki et coiffés
    de casques de liège
Tous deux sont suivis d'un domestique noir chargé de
    porter leurs valises
Tous deux jettent le même regard distrait sur les maisons
    trop blanches de la ville sur le ciel trop bleu
On voit le vent soulever des tourbillons de poussière et
    les mouches tourmenter les deux mulets de l'unique
    fiacre
Le cocher dort la bouche ouverte

II. BUNGALOW

L'habitation est petite mais très confortable
La varangue est soutenue par des colonnes de bambou
Des pieds de vanille grimpante s'enroulent tout autour

Des pois d'Angole
Des jasmins
Au-dessus éclatent les magnolias et les corolles des
flamboyants

La salle à manger est aménagée avec le luxe particulier
aux créoles de la Caroline
D'énormes blocs de glace dans des vases de marbre
jaune y maintiennent une fraîcheur délicieuse
La vaisselle plate et les cristaux étincellent
Et derrière chaque convive se tient un serviteur noir

Les invités s'attardent longtemps
Étendus dans des rocking-chairs ils s'abandonnent à ce
climat amollissant
Sur un signe de son maître le vieux Jupiter sort d'un
petit meuble laqué
Une bouteille de Xérès
Un seau à glace
Des citrons
Et une boîte de cigares de Pernambuco

Personne ne parlait plus
La sueur ruisselait sur tous les visages
Il n'y avait plus un souffle dans l'air
On entendait dans le lointain le rire énorme de la
grenouille-taureau qui abonde dans ces parages

III. VOMITO NEGRO

Le paysage n'est plus égayé par des jardins ou des
forêts

C'est la plaine nue et morne où s'élève à peine de loin
     en loin
Une touffe de bambous
Un saule rabougri
Un eucalyptus tordu par les vents
Puis c'est le marais
Vous voyez ces fumées jaunâtres
Ce brouillard gris au ras du sol agité d'un tressaille-
     ment perpétuel
Ce sont des millions de moustiques et les exhalaisons
     jaunes de la pourriture
Il y a là des endroits où les noirs eux-mêmes ne sauraient
     vivre

De ce côté le rivage est bordé de grands palétuviers
Leurs racines enchevêtrées qui plongent dans la vase
     sont recouvertes de grappes d'huîtres empoisonnées
Les moustiques et les insectes venimeux forment un
     nuage épais au-dessus des eaux croupissantes
A côté des inoffensives grenouilles-taureaux on aperçoit
     des crapauds d'une prodigieuse grosseur
Et ce fameux serpent-cercueil qui donne la chasse à
     ses victimes en gambadant comme un chien
Il y a des mares où pullulent les sangsues couleur ardoise
Les hideux crabes écarlates s'ébattent autour des caïmans
     endormis
Dans les passages où le sol est le plus ferme on rencontre
     des fourmis géantes
Innombrables et voraces

Sur ces eaux pourries dans ces fanges vénéneuses
S'épanouissent des fleurs d'un parfum étourdissant et
     d'une senteur capiteuse et têtue

Éclatent des floraisons d'azur de pourpre
Des feuillages chromés
Partout
L'eau noire se couvre d'un tapis de fleurs que troue la
    tête plate des serpents

J'ai traversé un buisson de grands mimosas
Ils s'écartaient de moi sur mon passage
Ils écartaient leurs branches avec un petit sifflement
Car ce sont des arbres de sensibilité et presque de ner-
    vosité
Au milieu des lianes de jalap pleines de corolles par-
    lantes
Les grands échassiers gris et roses se régalent de lézards
    croustillants et s'envolent avec un grand bruit d'ailes
    à notre approche
Puis ce sont d'immenses papillons aux couleurs de soufre
    de gentiane d'huile lourde
Et des chenilles de taille

IV. RUINE ESPAGNOLE

La nef est construite dans le style espagnol du XVIIIe siècle
Elle est lézardée en de nombreux endroits
La voûte humide est blanche de salpêtre et porte encore
    des traces de dorures
Les rayons de la lanterne montrent dans un coin un
    tableau moisi
C'est une Vierge Noire
De longues mousses et des champignons vénéneusement
    zébrés pointillés perlés couvrent le pavé du sanctuaire
Il y a aussi une cloche avec des inscriptions latines

V. GOLDEN-GATE

C'est le vieux grillage qui a donné son nom à la maison
Barres de fer grosses comme le poignet qui séparent
    la salle des buveurs du comptoir où sont alignés les
    liqueurs et les alcools de toutes provenances
Au temps où sévissait la fièvre de l'or
Où les femmes amenées par les traitants du Chili ou du
    Mexique se vendaient couramment aux enchères
Tous les bars étaient pourvus de grillages semblables
Alors les barmen ne servaient leurs clients que le revolver
    au poing
Il n'était pas rare qu'un homme fût assassiné pour un
    gobelet
Il est vrai qu'aujourd'hui le grillage n'est plus là que
    pour le pittoresque
Tout de même des Chinois sont là et boivent
Des Allemands des Mexicains
Et aussi quelques Canaques venus avec les petits vapeurs
    chargés de nacre de copra d'écaille de tortues
Chanteuses
Maquillage atroce employés de banque bandits matelots
    aux mains énormes

VI. OYSTER-BAY

Tente de coutil et sièges de bambou
De loin en loin sur ces plages désertes on aperçoit une
    hutte couverte de feuilles de palmier ou l'embarcation
    d'un nègre pêcheur de perles

Maintenant le paysage a changé du tout au tout
A perte de vue

Les plages sont recouvertes d'un sable brillant
Deux ou trois requins s'ébattent dans le sillage du yacht
La Floride disparaît à l'horizon

On prend dans le meuble d'ébène un régalia couleur d'or
On le fait craquer d'un coup d'ongle
On l'allume voluptueusement
Fumez fumeur fumez fumée fait l'hélice

LE NORD

I. PRINTEMPS

Le printemps canadien a une vigueur et une puissance
  que l'on ne trouve dans aucun autre pays du monde
Sous la couche épaisse des neiges et des glaces
Soudainement
La généreuse nature
Touffes de violettes blanches bleues et roses
Orchidées tournesols lis tigrés
Dans les vénérables avenues d'érables de frênes noirs
  et de bouleaux
Les oiseaux volent et chantent
Dans les taillis recouverts de bourgeons et de pousses
  neuves et tendres
Le gai soleil est couleur réglisse

En bordure de la route s'étendent sur une longueur
  de plus de cinq milles les bois et les cultures
C'est un des plus vastes domaines du district de Winnipeg
Au milieu s'élève une ferme solidement construite en
  pierres de taille et qui a des allures de gentilhommière
C'est là que vit mon bon ami Coulon

Levé avant le jour il chevauche de ferme en ferme monté
  sur une haute jument isabelle
Les pattes de son bonnet de peau de lièvre flottent sur
  ses épaules
Œil noir et sourcils broussailleux
Tout guilleret
La pipe sur le menton
La nuit est brumeuse et froide
Un furieux vent d'ouest fait gémir les sapins élastiques
  et les mélèzes
Une petite lueur va s'élargissant
Un brasier crépite
L'incendie qui couvait dévore les buissons et les brindilles
Le vent tumultueux apporte des bouquets d'arbres
  résineux
Coup sur coup d'immenses torches flambent
L'incendie tourne l'horizon avec une imposante lenteur
Troncs blancs et troncs noirs s'ensanglantent
Dôme de fumée chocolat d'où un million d'étincelles
  de flammèches jaillissent en tournoyant très haut et
  très bas
Derrière ce rideau de flammes on aperçoit des grandes
  ombres qui se tordent et s'abattent
Des coups de cognée retentissent
Un âcre brouillard s'étend sur la forêt incandescente
  que l'équipe des bûcherons circonscrit

II. CAMPAGNE

Paysage magnifique
Verdoyantes forêts de sapins de hêtres de châtaigniers
  coupées de florissantes cultures de blé d'avoine de
  sarrasin de chanvre

Tout respire l'abondance
Le pays d'ailleurs est absolument désert
A peine rencontre-t-on par-ci par-là un paysan conduisant
    une charrette de fourrage
Dans le lointain les bouleaux sont comme des colonnes
    d'argent

III. PÊCHE ET CHASSE

Canards sauvages pilets sarcelles oies vanneaux outardes
Coqs de bruyère grives
Lièvres arctiques perdrix de neige ptarmigans
Saumons truites arc-en-ciel anguilles
Gigantesques brochets et écrevisses d'une saveur
    particulièrement exquise

La carabine en bandoulière
Le bowie-knife à la ceinture
Le chasseur et le peau-rouge plient sous le poids du
    gibier
Chapelets de ramiers de perdrix rouges
Paons sauvages
Dindons des prairies
Et même un grand aigle blanc et roux descendu des
    nuages

IV. MOISSON

Une six-cylindres et deux Fords au milieu des champs
De tous les côtés et jusqu'à l'horizon les javelles légère-
    ment inclinées tracent un damier de losanges hésitants
Pas un arbre

Du nord descend le tintamarre de la batteuse et de la
  fourragère automobiles
Et du sud montent les douze trains vides qui viennent
  charger le blé

ILES

I. VICTUAILLES

Le petit port est très animé ce matin
Des coolies — tagals chinois malais — déchargent active-
    ment une grande jonque à poupe dorée et aux voiles
    en bambou tressé
La cargaison se compose de porcelaines venues de la
    grande île de Nippon
De nids d'hirondelles récoltés dans les cavernes de
    Sumatra
D'holothuries
De confitures de gingembre
De pousses de bambou confites dans du vinaigre
Tous les commerçants sont en émoi
Mr. Noghi prétentieusement vêtu d'un complet à
    carreaux de fabrication américaine parle très couram-
    ment l'anglais
C'est en cette langue que s'engage la discussion entre
    ces messieurs
Japonais Canaques Taïtiens Papous Maoris et Fidjiens

II. PROSPECTUS

Visitez notre île
C'est l'île la plus au sud des possessions japonaises
Notre pays est certainement trop peu connu en Europe
Il mérite d'attirer l'attention
La faune et la flore sont très variées et n'ont guère été
    étudiées jusqu'ici
Enfin vous trouverez partout de pittoresques points de
    vue
Et dans l'intérieur
Des ruines de temples bouddhiques qui sont dans leur
    genre de pures merveilles

III. LA VIPÈRE A CRÊTE ROUGE

A l'aide de la seringue Pravaz il pratique plusieurs
    injections de sérum du docteur Yersin
Puis il agrandit la blessure du bras en pratiquant au
    scalpel une incision cruciale
Il fait saigner la plaie
Puis la cautérise avec quelques gouttes d'hypochlorite
    de chaux

IV. MAISON JAPONAISE

Tiges de bambou
Légères planches
Papier tendu sur des châssis
Il n'existe aucun moyen de chauffage sérieux

V. PETIT JARDIN

Lis chrysanthèmes
Cycas et bananiers
Cerisiers en fleurs
Palmiers orangers et superbes cocotiers chargés de fruits

VI. ROCAILLES

Dans un bassin rempli de dorades de Chine et de pois-
    sons aux gueules monstrueuses
Quelques-uns portent des petits anneaux d'argent
    passés dans les ouïes

VII. LÉGER ET SUBTIL

L'air est embaumé
Musc ambre et fleur de citronnier
Le seul fait d'exister est un véritable bonheur

VIII. KEEPSAKE

Le ciel et la mer
Les vagues viennent caresser les racines des cocotiers
    et des grands tamarins au feuillage métallique

IX. ANSE POISSONNEUSE

L'eau est si transparente et si calme
On aperçoit dans les profondeurs les broussailles blanches
    des coraux

Le balancement prismatique des méduses suspendues
Les envols des poissons jaunes roses lilas
Et au pied des algues onduleuses les holothuries azurées
    et les oursins verts et violets

X. HATOUARA

Elle ne connaît pas les modes européennes
Crépus et d'un noir bleuâtre ses cheveux sont relevés
    à la japonaise et retenus par des épingles en corail
Elle est nue sous son kimono de soie
Nue jusqu'aux coudes

Lèvres fortes
Yeux langoureux
Nez droit
Teint couleur de cuivre clair
Seins menus
Hanches opulentes

Il y a en elle une vivacité une franchise des mouvements
    et des gestes
Un jeune regard d'animal charmant

Sa science : la grammaire de la démarche

Elle nage comme on écrit un roman de 400 pages
Infatigable
Hautaine
Aisée
Belle prose soutenue
Elle capture de tout petits poissons qu'elle met dans le
    creux de sa bouche

Puis elle plonge hardiment
Elle file entre les coraux et les varechs polycolores
Pour reparaître bientôt à la surface
Souriante
Tenant à la main deux grosses dorades au ventre d'argent

Toute fière d'une robe de soie bleue toute neuve de
   ses babouches brodées d'or d'un joli collier de corail
   qu'on vient de lui donner le matin même
Elle m'apporte un panier de crabes épineux et fantasques
   et de ces grosses crevettes des mers tropicales que
   l'on appelle des « caraques » et qui sont longues comme
   la main

XI. AMOLLI

Jardin touffu comme une clairière
Sur le rivage paresse l'éternelle chanson bruissante du
   vent dans les feuillages des filaos
Coiffé d'un léger chapeau de rotin armé d'un grand
   parasol de papier
Je contemple les jeux des mouettes et des cormorans
Ou j'examine une fleur
Ou quelque pierre
A chaque geste j'épouvante les écureuils et les rats
   palmistes

Par la fenêtre ouverte je vois la coque allongée d'un
   steamer de moyen tonnage
Ancré à environ deux kilomètres de la côte et qu'entourent déjà les jonques les sampans et les barques chargés
   de fruits et de marchandises locales
Enfin le soleil se couche

L'air est d'une pureté cristalline
Les mêmes rossignols s'égosillent
Et les grandes chauves-souris vampires passent silen
  cieusement devant la lune sur leurs ailes de velours

Passe une jeune fille complètement nue
La tête couverte d'un de ces anciens casques qui font
  aujourd'hui la joie des collectionneurs
Elle tient à la main un gros bouquet de fleurs pâles
  et d'une pénétrante odeur qui rappelle à la fois la
  tubéreuse et le narcisse
Elle s'arrête court devant la porte du jardin
Des mouches phosphorescentes sont venues se poser
  sur la corne qui somme son casque et ajoutent encore
  au fantastique de l'apparition

Rumeurs nocturnes
Branches mortes qui se cassent
Soupirs de bêtes en rut
Rampements
Bruissements d'insectes
Oiseaux au nid
Voix chuchotées

Les platanes géants sont gris pâle sous la lune
Du sommet de leur voûte retombent des lianes légères
  qu'une bouche invisible balance dans la brise

Les étoiles fondent comme du sucre

FLEUVE

LE BAHR EL-ZERAF

Il n'y a pas de hautes herbes le long des rives
De grandes étendues de terres basses se perdent au loin
Des îles affleurent la surface de l'eau
De grands crocos se chauffent au soleil
Des milliers de grands oiseaux couvrent les bancs de
    de sable ou de boue

Le pays se modifie
Il y a maintenant une brousse assez claire parsemée
    d'arbres rachitiques
Il y a des petits oiseaux ravissants de couleur et des
    bandes de pintades
Le soir à plusieurs reprises on entend rugir un lion dont
    on aperçoit la silhouette sur la rive ouest
J'ai tué ce matin un grand varan d'un mètre et demi
Toujours le même paysage de plaines inondées
Le pilote arabe a aperçu des éléphants
L'intérêt est grand
Tout le monde monte sur le pont supérieur

Pour chacun de nous c'est la première fois que va se
    montrer l'empereur des animaux
Les éléphants sont à trois cents mètres environ on en
    voit deux gros un moyen trois ou quatre petits
Pendant le déjeuner on signale dix grosses têtes d'hippos
    qui nagent devant nous

Le thermomètre ne varie guère
Vers 14 heures il y a régulièrement de 33 à 38°
Le vêtement est costume kaki bonnes chaussures
    guêtres et pas de chemise
On fait honneur à la bonne cuisine du bord et aux bou-
    teilles de Turin brun
Le soir on ajoute seulement au costume de table un
    veston blanc
Milans et vautours passent en nous frôlant de l'aile

Après le dîner le bateau va se placer au milieu du fleuve
    pour éviter autant que possible les moustiques
Les rives se déroulent couvertes de papyrus et d'euphor-
    bes géants
Le voyage est lent en suivant les méandres du fleuve
On voit beaucoup d'antilopes et de gazelles peu sauvages
Puis un vieux buffle mais pas de rhinocéros

CHASSE A L'ÉLÉPHANT

I

Terrain infernal
Haute futaie sur marais avec un enchevêtrement de
    lianes et un sous-étage de palmiers bas d'un énorme
    diamètre de feuillage
Piquants droits
Vers midi et demi nous entendons une bande des grands
    animaux que nous cherchons
On perd l'équilibre à chaque instant
L'approche est lente
A peine ai-je aperçu les éléphants qu'ils prennent la
    fuite

II

La nuit
Il y a des éléphants dans les plantations
Au bruit strident des branches cassées arrachées succède
    le bruit plus sourd des gros bananiers renversés d'une
    poussée lente

Nous allons directement sur eux
En montant sur un petit tertre je vois l'avant de la
    bête la plus rapprochée
La lune perpendiculaire l'éclaire favorablement c'est
    un bel éléphant
La trompe en l'air l'extrémité tournée vers moi
Il m'a senti il ne faut pas perdre une demi-seconde
Le coup part
A l'instant une nouvelle balle passe dans le canon de la
    Winchester
Puis je fume ma pipe
L'énorme bête semble dormir dans la clairière bleue

III

Nous arrivons sur un terrain d'argile
Après avoir pris leur bain de boue les bêtes ont traversé
    des fourrés particulièrement épais
A quinze mètres on ne distingue encore que des masses
    informes sans qu'il soit possible de se rendre compte
    ni de la taille ni des défenses
J'ai rarement aussi bien entendu les bruits intestinaux
    des éléphants leurs ronflements le bruit des branches
    cassées
Tout cela succédant à de longs silences pendant lesquels
    on a peine à croire leur présence si rapprochée

IV

Du campement nous entendons des éléphants dans la
    forêt

Je garde un homme avec moi pour porter le grand kodak
A douze mètres je distingue mal une grande bête
A côté d'elle il me semble voir un petit
Ils sont dans l'eau marécageuse
Littéralement je les entends se gargariser
Le soleil éclaire en plein la tête et le poitrail de la grande
    femelle maintenant irritée
Quelle photo intéressante a pu prendre l'homme de
    sang-froid qui se tenait à côté de moi

V

Le terrain est impossible
Praticable seulement en suivant les sentiers tracés par
    les éléphants eux-mêmes
Sentiers encombrés d'obstacles de troncs renversés
De lianes que ces puissants animaux enjambent ou bien
    écartent avec leur trompe
Sans jamais les briser ou les supprimer pour ne plus les
    rencontrer sur leur chemin
En cela ils sont comme les indigènes qui n'enlèvent
    pas non plus les obstacles même dans leurs sentiers
    les plus battus

VI

Nous recoupons la piste d'un grand mâle
La bête nous mène droit vers l'ouest tout au travers de
    la grande plaine
Parcourt cinq cents mètres en forêt
Circule quelque temps dans un espace découvert encore
    inconnu de nous

173

Puis rentre en forêt
Maintenant la bête est parfaitement immobile un ronfle-
  ment trahit seulement sa présence de temps en temps
A dix mètres j'aperçois vaguement quelque chose
Est-ce bien la bête?
Oui voilà bien une énorme dent très blanche
A ce moment une pluie torrentielle se met à tomber
  et une obscurité noire
Le film est raté

VII

Quelquefois les sentiers d'éléphants serpentent se croisent
Enserrés entre des murailles d'arbustes de ronces
Cette végétation est impénétrable même pour les yeux
Elle atteint de trois à six mètres d'élévation
Dans les sentiers les lianes descendent jusqu'à un deux
  trois pieds du sol
Puis remontent affectant les formes les plus bizarres
Les arbres sont tous énormes le collet de leurs racines
  aériennes est à quatre ou cinq mètres au-dessus du
  terrain

VIII

Nous entendons un troupeau
Il est dans une clairière
Les herbes et les broussailles y atteignent cinq à six mètres
  de haut
Il s'y trouve aussi des espaces restreints dénudés
Je fais rester mes trois hommes sur place chacun braquant
  son Bell-Howel

Et je m'avance seul avec mon petit kodak sur un terrain
    où je puis marcher sans bruit
Il n'y a rien d'aussi drôle que de voir s'élever s'abaisser
    se relever encore
Se contourner en tous sens
Les trompes des éléphants
Dont la tête et tout le corps immense demeurent cachés

IX

J'approche en demi-cercle
Soulevant son énorme tête ornée de grosses défenses
Brassant l'air de ses larges oreilles
La trompe tournée vers moi
Il prend le vent
Une photo et le coup part
L'éléphant reçoit le choc sans broncher
Je répète à toute vitesse
Piquant de la tête il roule à terre avec un râle formidable
Je lui tire ensuite une balle vers le cœur puis deux coups
    dans la tête
Le râle est toujours puissant enfin la vie l'abandonne
J'ai noté la position du cœur et ses dimensions qui sont
    de 55 centimètres de diamètre sur 40

X

Je n'aperçois le bel animal qu'un instant
Maintenant je l'entends patauger pesamment régulière-
    ment
Il froisse les branches sur son passage

175

C'est une musique grandiose
Il est contre moi et je ne vois rien absolument rien
Tout à coup son énorme tête se dégage des brousssailles
Plein de face
A six mètres
Me dominant
L'éléphant exécute une marche à reculons avec rapidité
A ce moment la pluie se met à tomber avec un fracas
    qui étouffe le bruit des pas

XI

Dans une grande plaine au nord
A la lisière de la forêt une grande femelle un petit mâle
    et trois jeunes éléphants de taille différente
La hauteur des herbes m'empêche de les photographier
Du haut d'une termitière je les observe longtemps avec
    ma jumelle Zeiss
Les éléphants semblent prendre leur dessert avec une
    délicatesse du toucher amusante
Quand les bêtes nous sentent elles détalent
La brousse s'entrouvre pour leur livrer passage et se
    referme comme un rideau sur leurs grosses masses

MENUS

I

Foie de tortue verte truffé
Langouste à la mexicaine
Faisan de la Floride
Iguane sauce caraïbe
Gombos et choux palmistes

II

Saumon du Rio Rouge
Jambon d'ours canadien
Roast-beef des prairies du Minnesota
Anguilles fumées
Tomates de San-Francisco
Pale-ale et vins de Californie

III

Saumon de Winnipeg
Jambon de mouton à l'Écossaise

Pommes Royal-Canada
Vieux vins de France

IV

Kankal-Oysters
Salade de homard cœurs de céleris
Escargots de France vanillés au sucre
Poulet de Kentucky
Desserts café whisky canadian-club

V

Ailerons de requin confits dans la saumure
Jeunes chiens mort-nés préparés au miel
Vin de riz aux violettes
Crème au cocon de ver à soie
Vers de terre salés et alcool de Kawa
Confiture d'algues marines

VI

Conserves de bœuf de Chicago et salaisons allemandes
Langouste
Ananas goyaves nèfles du Japon noix de coco mangues
    pomme-crème
Fruits de l'arbre à pain cuits au four

VII

Soupe à la tortue
Huîtres frites

178

Patte d'ours truffée
Langouste à la Javanaise

VIII

Ragoût de crabes de rivière au piment
Cochon de lait entouré de bananes frites
Hérisson au ravensara
Fruits

En voyage 1887-1923.

LA VIE ET L'ŒUVRE DE
BLAISE CENDRARS

Né à La Chaux-de-Fonds le 1er septembre 1887, d'une mère fille d'un hôtelier du lieu et d'un père suisse, Frédéric Sauser, avant de devenir Blaise Cendrars le poète de l'aventure vécue et des grands voyages, connaissait l'Égypte, l'Italie, l'Angleterre, la Suisse, etc. À seize ans il fait une fugue qui ne le conduit qu'à Munich pour quelques jours. Ensuite, il est envoyé par son père à un correspondant, à Saint-Pétersbourg. On le trouve employé d'un certain Rogovine, vendeur de pacotille et aventurier. Nous sommes en 1905 ; Cendrars devait assister à maints épisodes de la Révolution, et huit ans après les avoir vécus aux côtés de Rogovine, le poète écrivait :

En Sibérie tonnait le canon, c'était la guerre
La faim le froid la peste le choléra
Et les eaux limoneuses de l'Amour charriaient des millions de
  charognes.

On le découvre à Saint-Pétersbourg à la recherche d'un vieux livre français.

A vingt ans, il est en France ; il hante les milieux littéraires, devient apiculteur, *huit mille francs de miel par an ! J'étais riche !* (avant de cultiver, dix ans plus tard, le cresson). Il se lie avec Gustave le Rouge, auteur du *Mystérieux docteur Cornélius*, d'où devait sortir le « montage » de *Documentaires*. Peu après, il rencontre Remy de Gourmont, dont il admire *Le Latin mystique*.

L'année suivante, il reprenait sa vie errante : Bruxelles, Londres, et les métiers extraordinaires : il est alors jongleur dans un music-hall, partageant la chambre d'un petit étudiant qui devait devenir Charlie Chaplin. En 1909 il retourne en Russie et c'est là que paraît, traduit en russe, son premier poème, *La Légende de Novgorod*.

Mais si nous voulons suivre la fièvre du voyageur, il faut retourner en 1910 à Anvers, puis à New York, Terre-Neuve, Paris, New York encore. C'est là que, traînant dans la plus grande misère, une nuit illuminée d'avril 1912, Cendrars écrit *Les Pâques à New York,* long poème en vers libres qu'il ne remaniera jamais.

Rentré à Paris il y fait paraître, avec ce texte, deux autres grands poèmes : *La Prose du transsibérien et de la petite Jehanne de France* (1913) et *Le Panorama ou les Aventures de mes sept oncles* dont la parution sera retardée jusqu'en 1918.

Dès les premiers jours de la guerre, Blaise Cendrars s'est engagé dans la Légion étrangère. Le 26 septembre 1915 il est grièvement blessé pendant l'offensive de Champagne. Le légionnaire y perd un bras, la littérature y gagne *La Main coupée* (1946). Amputé au-dessus du coude et retourné à la vie civile, l'ancien soldat pratique tous les sports violents, apprend à sténographier et à taper à la machine. Après la guerre, il voyage à nouveau de l'Amérique du Sud à l'Afrique noire, où il est prospecteur. C'est l'époque de *Dix-Neuf Poèmes élastiques* (1919), *Kodak* et *Feuilles de route* (1924). C'est aussi l'époque du cinéma auquel Cendrars se donne avec passion. Il travaille avec Abel Gance, amène au septième art des collaborateurs aussi prestigieux qu'Arthur Honnegger. Il annonce alors : *une race d'hommes nouveaux va paraître. Leur langage sera le cinéma.* Et c'est de cette époque que date la période romanesque.

Les poèmes seront de moins en moins nombreux pour laisser la place à une prose très poétique où l'on trouve romans, biographies, reportages, nouvelles ; où se mêlent l'exotisme, la mer, la forêt vierge, le réel et le rêve, l'étrange et la violence ;

reportages qu'une curiosité toujours en éveil, toujours servie par une plume alerte, rapide, arme d'une « puissance d'évocation qui fait de cet écrivain un grand peintre » (Louis Parrot). *Anthologie nègre* (1921), *L'Or* (1925), *Moravagine* (1926), *Les Confessions de Dan Yack* (1929), *Rhum* (1930), *Histoires vraies* (1937), *L'Homme foudroyé* (1945), *Bourlinguer* (1948), *Le Lotissement du ciel* (1949) témoigneront, entre autres, de ce talent.

Il mourut à Paris le 21 janvier 1961.

BIBLIOGRAPHIE

I. DU MONDE ENTIER. Paris, Éditions de la Nouvelle Revue Française, 1919.

    1. LES PÂQUES A NEW YORK, poème avec un dessin de l'Auteur, tirage à 160 exemplaires, dont 10 sur Alfa blanc, encre bleue ; *Paris, Édition des Hommes Nouveaux*, 1912. 1 plaquette in-8° raisin.

    Ce poème a été reproduit dans *La Rose rouge* n° 14, Paris, 31 juillet 1919. Il a été réédité avec 8 bois dessinés et gravés par Frans Masereel ; *Paris, Éditions René Keiffer*, 1926.

    2. LA PROSE DU TRANSSIBÉRIEN ET DE LA PETITE JEHANNE DE FRANCE, poème, couleurs simultanées de Mme Sonia Delaunay ; édition unique, dite du *Premier Livre Simultané*, tirage atteignant la hauteur de la tour Eiffel : 150 exemplaires numérotés et signés, dont 8 sur parchemin, couverture à la main, chevreau noir, 38 sur Japon impérial et 104 sur simili-Japon, couverture à la main, parchemin ; *Paris, Édition des Hommes Nouveaux*, 1913. 1 vol. en couleurs, $10 \times 36 \times 2$ m.

    3. LE PANAMA OU LES AVENTURES DE MES SEPT ONCLES, poème avec 25 tracés de chemins de fer

américains et couverture en couleurs ; tirage à 581 exemplaires dont 5 sur Chine et 50 sur Hollande, numérotés et signés par l'Auteur, 500 sur vélin Lafuma, numérotés à la presse, et 26 lettrés de A à Z ; *Paris, Éditions de la Sirène*, 1918. 1 vol. in-4° écu.

Des fragments de *Du Monde Entier* ont été reproduits dans l'*Anthologie des Poètes de la N.R.F.*, Paris, 1936.

II. DIX-NEUF POÈMES ÉLASTIQUES, avec un portrait de l'Auteur par Modigliani. Un vol. in-8° écu *(Collection de Littérature)*. Paris, Au Sans Pareil, 1919.

1. *Journal,* paru dans *Les Soirées de Paris,* n° 23. Paris, 15 avril 1914.

2. *La Tour,* paru dans *Der Sturm,* n°s 184-185. Berlin, novembre 1913.

3. *Contrastes,* paru dans *Der Sturm,* n°s 194-195. Berlin, janvier 1914.

4. *Portrait* I et II, paru dans *Der Sturm,* n°s 198-199. Berlin, février 1914.

5. *Ma Danse,* paru dans *Montjoie !,* n°s 1-2. Paris, janvier-février 1914.

6. *Sur la robe elle a un corps,* paru (sans autorisation) dans le *Catalogue de l'Exposition Delaunay.* Stockholm, mai 1916, et dans *Littérature,* n° 1. Paris, mars 1919.

7. *Hamac,* paru dans *Montjoie !,* n°s 3-4. Paris, avril-mai-juin 1914, et dans *L'Instant* (revue franco-catalane), n° 6. Paris, décembre 1918.

8. *Mardi-Gras,* paru dans *Montjoie !,* n°s 3-4. Paris, avril-mai-juin 1914.

9. *Crépitements,* paru (sans autorisation) dans *Cabaret Voltaire.* Zurich, mai 1916.

10. *Dernière heure,* inédit.

11. *Bombay-Express,* paru dans le *Catalogue de l'Exposition André Derain.* Paris, 15-21 octobre 1916.

12. *F.I.A.T.,* paru dans *Avanscoperta,* n° 2. Rome, 25 février 1917.

13. *Aux 5 coins*, paru dans *Les Soirées de Paris*, n° 26. Paris, juillet-août 1914.
14. *Natures mortes*, inédit.
15. *Fantômas*, paru dans *Les Soirées de Paris*, n° 25. Paris, 15 juin 1914.
16. *Titres*, paru dans *Les Soirées de Paris*, n° 26. Paris, juillet-août 1914.
17. *Mee too buggi*, paru dans *Les Soirées de Paris*, n° 26. Paris, juillet-août 1914.
18. *Tête*, paru (sans autorisation) dans *De Stijl*, n° 10. Leiden, août 1918, et dans *Noi*, n° 3. Rome, février 1919.
19. *Construction*, inédit.
III. LA GUERRE AU LUXEMBOURG, avec 6 dessins de Kisling. Un album 24 × 29. Paris, D. Niestlé éditeur, 1916.
IV. SONNETS DÉNATURÉS, paru dans *L'Œuf dur*, n° 14. Paris, automne 1923. *O Poetic*, paru dans *6 poèmes*, feuille-programme d'une des séances de poésie et de musique données Salle Huyghens en 1917.
V. POÈMES NÈGRES :
Continent noir, paru dans *L'Œuf dur*, n° 9. Paris, avril 1922.
Les Grands Fétiches, paru dans *Le Disque vert*, n° 1. Bruxelles, mai 1922.
Continent noir et *Les Grands Fétiches* ont été reproduits dans l'*Anthologie de la Nouvelle Poésie Française*, aux Éditions du Sagittaire, chez Simon Kra, Paris, 1924.
VI. DOCUMENTAIRES, paru sous le titre « KODAK (Documentaire) » avec un portrait par Picabia. Un vol. in-16 jésus (*Collection Poésie du Temps*). Paris, Librairie Stock, 1924.
Far-West, paru dans *La Revue européenne*, n° 12. Paris, 1er février 1924, et reproduit dans l'*Anthologie de la Nouvelle Poésie Française*, aux Éditions du Sagittaire, chez Simon Kra. Paris, 1924.

Ce volume,
le dix-septième de la collection Poésie,
a été achevé d'imprimer sur les presses
de l'Imprimerie Bussière à Saint-Amand (Cher),
le 18 octobre 1991.
Dépôt légal : octobre 1991.
1er dépôt légal dans la collection : février 1967.
Numéro d'imprimeur : 3029.

ISBN 2-07-030061-7./Imprimé en France.
(précédemment publié aux Éditions Denoël)
ISBN 2-207-20049-3

54650